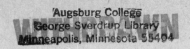

D1112063

1

«MANUALES STUDIUM»

Volumen 3

Primera edición, México, 1956

Dirige
PEDRO FRANK DE ANDREA

Portada de ALBERTO BELTRÁN

MANUALES STUDIUM - 3

Breve historia del ensayo hispanoamericano

POR
ROBERT G. MEAD, JR.

Universidad de Connecticut

EDICIONES
DE ANDREA

MÉXICO — 1956

PREFACIO

El ensayo hispanoamericano, en conjunto, es un campo poco conocido, pues se ha estudiado mucho menos que la novela, la poesía y, quizá, hasta menos que el teatro. Varios de los ensayistas —Montalvo, Martí y Rodó, por ejemplo— han sido objeto de frecuentes investigaciones y se ha acumulado una nutrida bibliografía acerca de ellos y de otros grandes cultivadores del género. Pero la producción ensayística de toda Hispanoamérica, debido a varios motivos, es todavía en muchos aspectos una terra incognita que sólo en los últimos años ha sido penetrada por dos o tres atrevidos exploradores literarios.

El presente estudio, como lo indica claramente su título, no aspira a ser más que un esfuerzo pionero, un rápido viaje de orientación a través el territorio, relativamente ignoto, incluido dentro de los límites imprecisos de lo que denominamos el ensayo hispanoamericano. No se dirige nuestro modesto esfuerzo a los eruditos en la materia tratada. En cambio, creemos que puede ser útil a los profesores y estudiantes y al lector, en general, que tenga alguna instrucción literaria y algún conocimiento de las corrientes de ideas de los tiempos modernos.

Adolecen estas páginas, sin duda, de los defectos que entrañan la brevedad y la necesidad de resumir y sintetizar, al grado de que algunos lectores encontrarán en el texto omisiones imperdonables a su juicio, o inclusiones igualmente inadmisibles. Pero, a pesar de sus deficiencias, esperamos que posean la ventaja de arrojar alguna luz sobre un campo histórico y literario donde han actuado honradamente muchos de los grandes literatos y constructores de Hispanoamérica.[1]

Hemos señalado con dos asteriscos a los ensayistas de máximo relieve. Asimismo indicamos con un asterisco las Lecturas de especial importancia, las cuales proyectamos reunir en forma de antología, como complemento de la presente historia.

R. G. M.

Storrs, Connecticut
Octubre de 1955.

[1] Quisiéramos dar constancia aquí de nuestra gratitud por la subvención que nos fué concedida por la Modern Language Association of America. Facilitó ésta grandemente la preparación del manuscrito y nos fué útil en otras tareas relacionadas con la realización de la obra.

I

EL ENSAYO COMO GÉNERO LITERARIO

Todo el mundo habla de novelas, de poesía épica o lírica, de comedias y hasta de ensayos. Es decir, toda persona que haya gozado de una educación mínima tiene cierta familiaridad con lo que llamamos los géneros literarios. Otra cosa sería, claro está, un intento por parte de tal persona de definir lo que son esos géneros, porque se suscitaría inmediatamente uno de los problemas más graves y fundamentales de la ciencia literaria.

Ni siquiera los estudiosos de la literatura han podido ponerse de acuerdo acerca de lo que es y no es novela, poema, comedia, etc. Aristóteles en su *Poética* trató de distinguir entre la poesía narrativa y la dramática, y de esta raíz creció un árbol muy frondoso, cultivado por la tradición preceptista. Se estableció una codificación de leyes literarias, se creyó en los géneros, se acumularon reglas y se fortaleció la tradición mientras pasaban los siglos. Pero con el transcurso del tiempo nacieron nuevas naciones y nuevas literaturas cuyas obras no correspondían al marco teórico ya establecido. Resultaba obvio que la literatura, como la vida humana de la que era una manifestación, era proteica y que no bastaban para contenerla los "géneros" derivados del pasado, herencia esclerótica y anticuada.

Hay, además, otra objeción grave de índole estética, que se puede oponer a la noción de género o clasificación fija en literatura. En nuestros días, uno de los que han tenido

más éxito en difundir esta objeción es Benedetto Croce
(1860-1952), el gran crítico y filósofo italiano. Croce distingue claramente entre el pensamiento lógico y el arte, que
según él, es intuición pura. La noción de género es de claro
origen lógico, mientras que el arte pertenece a la zona estética. Como explica el escritor cubano Medardo Vitier,
"la dimensión lógica del espíritu se agota en el intelecto;
la dimensión estética dispone de la imaginación y la sen-
sibilidad. De ahí que las obras literarias rebasen, en muchos casos, la vieja clasificación".

A pesar de que nunca se ha precisado satisfactoriamente
lo que es el ensayo, existe una definición bastante corriente.
Rezaría más o menos como sigue: una composición, usualmente en prosa, de una extensión moderada y sobre un
tema limitado.

Pero resulta que hay dentro de esta definición una multitud de formas posibles, pues, como se verá, el ensayo
cubre una parte considerable del *spectrum* literario. Ima-
gínese, por ejemplo, una raya horizontal que representa
una línea de materiales semejantes, o sean los escritos de
tipo ensayístico. Si dividimos esta raya por la mitad y al
segmento que apunta hacia la izquierda le asignamos las
características de formalidad, objetividad e interés por lo
intelectual, asignando al mismo tiempo las de informalidad,
subjetividad e interés por lo imaginativo al segmento que
apunta hacia la derecha, podremos decir que esta raya simboliza aquella extensión o zona del *spectrum* literario que
denominamos *ensayo*. Hacia el extremo del segmento de la
izquierda se encontrarán los tratados y las monografías; luego, de la izquierda hacia la derecha, se encontrarán los
ensayos formales —biográficos, históricos, críticos, exposi-
tivos en general—. Cerca del punto divisor estarán los artículos de fondo de los periódicos, reseñas de libros y artículos
de revistas y periódicos. Hacia la derecha aparecerán escritos de una naturaleza progresivamente más informal: ensayos impresionistas, personales, humorísticos, meros esbozos o
esquisses.

És posible, también, otro concepto más restringido y literario del ensayo. De acuerdo con este concepto, sólo cabrían dentro del género los ensayos formales, biográficos, históricos y críticos, y los informales, ensayos humorísticos y esbozos.

En la zona literaria denominada ensayo se entrecruzan además, como ya se ha insinuado, elementos de otras categorías literarias, principalmente de la didáctica y de la poesía. El ensayista expone nociones con el intento de comunicar su criterio en torno a un asunto, pero no ordena sus ideas ni las concibe fríamente, como en un tratado, sino que reflejan éstas una efusión viva, más o menos contenida, y un estilo más flexible que el de los libros de enseñanza. "Doctrina, sí, pero diluída en el comentario animado o en la meditación alada", es como Vitier resume metafóricamente este aspecto del ensayo.

El ensayo y otras formas de prosa a veces se mezclan y no pocas veces se interpenetran, a pesar de ser distinguibles entre sí, como se verá por la explicación siguiente:

1. El *ensayo*, con sus aspectos didáctico y poético, es de una elocución siempre expositiva. Cuando se emplean en él la descripción, la narración y la argumentación es por modo episódico, no central ni continuo.

2. El *artículo* generalmente, pero no siempre, es más breve que el ensayo, su tema de mayor actualidad y su estilo de nivel periodístico. A veces, cuando su contenido poético es grande, el artículo se aproxima a la calidad de ensayo.

3. El *estudio crítico* suele ser un trabajo de examen frío, de indispensable erudición y de método riguroso.

4. La *monografía* es de contornos todavía más precisos. Su campo es didáctico, su tema limitado y requiere una gran intensidad en el estudio.

En cierto sentido, el ensayo es casi siempre incompleto. Esto no quiere decir que no se haya terminado. Es completo en sí, pero no agota, ni puede agotar, las posibilidades de su tema, ni siquiera agota las ideas de su autor acerca del tema. El ensayo nos da una idea completa de cómo el autor quiere que consideremos su tema, siempre dentro de los límites del tiempo y del espacio de los cuales dispone. Reflejo del humor y de la personalidad de su autor, el ensayo también comparte la historicidad de toda creación humana, siendo así espejo grande o pequeño, claro o empañado, del período histórico en que vive el autor. Un escritor puede o no simpatizar con su mundo, pero, a pesar suyo, forma parte de dicho mundo, y, quiera o no quiera, algo de él contagia a sus escritos.

En los tiempos antiguos se escribieron lo que hoy llamaríamos ensayos, pero, como sabemos, los escritores griegos y romanos no conocían el término. Los *Diálogos* de Platón, los *Caracteres* de Teofrasto, las *Epístolas* de Plinio y de Séneca, los escritos morales de Plutarco, las disputaciones de Cicerón, las *Meditaciones* de Marco Aurelio, los tratados de Aristóteles, todos cabrían hoy bajo el amplio concepto de ensayo.

Ensayistas, en el moderno sentido de la palabra, también los hubo en el Renacimiento, como Maquiavelo con *El príncipe*, Erasmo con su *Elogio de la locura* y Guevara con su *Marco Aurelio* y otros escritos.

El gran escritor francés Michel de Montaigne, fué el primero que empleó el término ensayo, al publicar sus *Essais*, en 1580. Estos son más bien comentarios de carácter íntimo, a veces confesional, escritos con un tono de conversación, que establecieron la pauta histórica que han seguido los ensayos personales e informales. El inglés Francis Bacon, creó otro tipo de ensayo en 1597, al publicar sus *Essays*. Sus escritos son modelos de exposición casi pura: formales, breves, aforísticos, dogmáticos, y carecen del encanto personal que manifiestan los de Montaigne.

La literatura de lengua inglesa ha sido rica en el ensayo. Entre sus cultivadores podemos mencionar someramente, porque aquí no cabe una consideración mayor, a autores tan disímiles entre sí como el amargo y satírico Johnathan Swift, al periodista y narrador Daniel Defoe, a los amenos

Richard Steele y Joseph Addison y, en los siglos XIX y XX, a Charles Lamb, William Makepeace Thackeray, Washington Irving, Oliver Wendell Holmes, Henry David Thoreau, Ralph Waldo Emerson, Max Beerbohm, Gilbert Keith Chesterton, Logan Pearsall Smith y Christopher Morley. No debe omitirse, tampoco, el ensayo serio y formal, generalmente de naturaleza crítica o histórica, que se produjo en el período victoriano en Inglaterra (los últimos dos tercios del siglo XIX), y en el mismo siglo en Francia y Alemania. Entre estos ensayistas se encuentran figuras tan notables como Macaulay y Arnold en Inglaterra, en Francia, Sainte Beuve, Taine y Renan, y en Alemania, Hegel, Schopenhauer y Nietzsche.

En España, hasta fines del siglo XIX, el ensayo no se cultivó con la perseverancia que caracteriza su ejercicio en otros países europeos, ni se acostumbraba emplear el término. Pero entre sus más destacados precursores está el monje benedictino Benito Jerónimo Feijóo (1676-1764), de vivo espíritu, amplia sabiduría y gran curiosidad intelectual, introductor en España de las ideas modernas de su época. Su *Teatro crítico universal* y sus *Cartas eruditas y curiosas* constituyen verdaderos modelos de ensayos liberales y combativos, orientados siempre hacia la verdad. Más tarde, en las últimas décadas del siglo XIX, hombres y educadores tan notables como don Francisco Giner de los Ríos y don Joaquín Costa, por medio de sus escritos ensayísticos, impulsan a revalorar la hispanidad a los grandes ensayistas que más tarde han de surgir, como miembros de la generación conocida como del 98: Ganivet, Unamuno, Cossío, Azorín, Ortega, D'Ors, para nombrar sólo a algunos. Estos son los escritores a quienes les dolía aquella España que aquilataban, observándola como médicos, sintiéndola como místicos amantes y meditando como filósofos sobre su destino. En el siglo actual muchos son los ensayistas españoles de talento que han seguido los caminos abiertos por las grandes figuras de esta insigne generación.

Y ahora, como resumen y reiteración final de mucho de

lo dicho acerca del ensayo en los párrafos anteriores, citamos un pasaje del crítico, escritor y ensayista argentino Enrique Anderson Imbert: "como no creo en los géneros tampoco creo en las definiciones. Una aproximación escolar sería esta: el ensayo es una composición en prosa, discursiva
pero artística por su riqueza en anécdotas y descripciones, lo
bastante breve para que podamos leerla de una sola sentada,
con un ilimitado registro de temas interpretados en todos
los tonos y con entera libertad desde un punto de vista muy
personal. Si se repara en esa definición más o menos corriente se verá que la nobilísima función del ensayo consiste
en poetizar en prosa el ejercicio pleno de la inteligencia y
la fantasía del escritor. El ensayo es una obra de arte cons-
truída conceptualmente; es una estructura lógica, pero donde la lógica se pone a cantar... Cualquier construcción está
animada con un toque de poesía cuando su unidad interior
se ha hecho visible, fácil y placentera. Hay sistemas filosóficos, enrollos matemáticos, hipótesis científicas, caracterizaciones históricas, que se convierten en poemas por obra y
gracia del espíritu unificador. Y el ensayo es, sobre todas
las cosas, una unidad mínima, leve y vivaz donde los conceptos suelen brillar como metáforas."

No todos los escritores estudiados en las páginas siguientes han compuesto ensayos que concuerden por completo
con la descripción de Anderson Imbert, pero sí forman una
selección de los prosistas que suelen ser calificados de ensayistas en las historias más autorizadas de las letras hispanoamericanas.[1]

---

[1] Con relación al uso de la palabra *ensayo* en España, es interesante encontrar esta nota en la primera edición de la *Enciclopedia
Universal Ilustrada* (Madrid: Espasa Calpe, s. f.): "hay que observar que esta voz modernamente la usan los autores ingleses, franceses e italianos, en el sentido de 'escrito que trata superficialmente
un asunto cualquiera', pero en buen castellano tal denominación es

II

LA PROSA DE LA COLONIA
Y DE LA EMANCIPACIÓN

Durante todo el curso de la literatura universal, hasta el siglo XIX, la poesía fué la forma literaria preferida y la de mayor prestigio, y éste era el caso en la España de los siglos XV a XIX y en la Colonia durante toda la misma época. Grandes obras épicas, líricas y dramáticas se escribieron en verso y no se concebía un Parnaso que no fuese habitado por otros escritores que poetas. Se había cultivado la prosa, naturalmente, pero como género inferior y de menos mérito que el verso.

Resulta necesario, sin embargo, examinar, someramente cuando menos, el curso de este género inferior en Hispanoamérica. Porque hay que tener algún conocimiento de la prosa de lengua española en América, río ancho y caudaloso, para comprender la trayectoria de uno de sus tributarios, el cual en el curso del tiempo vendrá a ser el ensayo. Nacidos los prosistas que nos interesan en la Península, al principio, y después en las Indias, su genio literario se dirige hacia la América y sus temas reflejan el vivo interés que estimulan en ellos el Nuevo Mundo y la magna empresa de su conquista, cristianización y colonización. Aunque es discutible, en la opinión de algunas autoridades, si los prosistas no nacidos en América (al menos los que no se convirtieron en habitantes permanentes de la Colonia) en verdad pertenecen a la literatura hispanoamericana, lo cierto es que sus obras se leían en América, que constituyen parte de nuestra tradición cultural y que sus escritos influyeron en los autores criollos.

En las páginas que siguen no se intenta un análisis de toda la producción en prosa de los siglos xv-xix en la Colonia, pues no cabría tal análisis en el limitado espacio de que disponemos ni convendría a nuestro propósito principal. Nos proponemos algo más sencillo y modesto: mediante un examen de los temas y las características estilísticas de varios de los prosistas más notables y originales, dar al lector una noción general del desenvolvimiento paulatino de la prosa en Hispanoamérica y de los variados caminos que han seguido sus cultivadores. Visión panorámica, no disección microscópica, es nuestra meta.

CRISTÓBAL COLÓN (1451-1506) es el primero de una larga lista de cronistas e historiadores de la Conquista. Genovés de nacimiento, aprende el español en Portugal y escribe un castellano desgarbado, italianizado. Como tantos de los cronistas de su época, y por claros motivos personales (buscaba las Indias legendarias, recuérdese) no describe la realidad americana. En el *Diario* (¿1493?) de su primer viaje, en el *Memorial para los Reyes Católicos* (¿1496?) y en su *Historia* del tercer viaje, Colón se esfuerza en confirmar los sueños y leyendas europeos renacentistas de países utópicos de reinas amazonas; y trata de justificar el tema, también típico del Renacimiento, del hombre natural virtuoso y la naturaleza pródiga, edénica. Con todo, por la descripción de los pormenores del paisaje y de los indios, su prosa encanta todavía hoy y evoca el remoto y portentoso espectáculo del descubrimiento.

Nacido en Medellín, HERNÁN CORTÉS (1485-1547) es el prototipo del conquistador. Capitán severo ante todo, Cortés ha estudiado también, en Salamanca, y es lo suficientemente perspicaz para apreciar la grandeza real del imperio y de la civilización azteca, aunque su lengua se atora a veces y resulta inadecuado su vocabulario cuando trata de comunicar esta grandeza en sus escritos. Sus cinco *Cartas de relación* (1519-15...?) al Emperador Carlos V ostentan un estilo sobrio y llano y una sintaxis con bastantes vestigios de la latina. En ellas relata fríamente y con sólo los detalles que le convienen, su historia de la conquista de Tenochtitlán. Faltan candor y sinceridad a sus escritos, pero translucen en ellos su asombro ante la realidad de México, su certera visión de los indios, sobre todo en sus relaciones políticas entre sí, y la denuncia de los encomenderos rapaces y los monjes indignos. Cortés quiere impresionar al Emperador y hoy, después de más de cuatro siglos, su obra deja en el lector la sensación de una frigidez mesurada y hábilmente lograda, que sin duda emana de lo más recóndito de su genio.

Incompleto sería nuestro recorrido sin BERNAL DÍAZ DEL CASTILLO (1495 ó 1496-1584), natural de Medina del Campo. Acompaña a Cortés y, con su jefe, es testigo presencial de la Conquista, pero como soldado representa el punto de vista de la masa, no de los capitanes. Su popular *Verdadera historia de la conquista de la Nueva España* (1568), que escribió ya cercano a los ochenta años, fruto de sus vivos deseos de rescatar lo que él considera la verdad acerca de la magna hazaña, es una crónica de apasionante interés. Redactada por un soldado obscuro, envejecido e iletrado pero poseedor de una memoria maravillosa, la *Historia* es una de las obras más paradójicas de la época. Bernal Díaz escribe como respira y la tinta corre de su pluma tan naturalmente como la sangre corre en sus venas. Su historia, sin disimulo ni organización aparentes, es la que mejor capta la vida del pasado y aviva el ambiente de la gran proeza de todos los conquistadores. Leyendo su obra se comprenden los ataques de Las Casas contra la codicia de los españoles y, a la vez, se comprende lo exagerado que fueron estos mismos ataques. Y es en Bernal Díaz también, en sus frecuentes citas y referencias a las novelas de caballerías, donde comprendemos mejor que en ningún otro cronista la influencia que ejercieron estos relatos de empresas fabulosas y tierras encantadas sobre la imaginación impresionable de los conquistadores.

Bastante distinto de Cortés y Bernal Díaz es el conquistador ÁLVAR NÚÑEZ CABEZA DE VACA (1490-1564 ó 1507-1559), sevillano de nacimiento. Es el primer cronista que escribe de los indios como iguales a los españoles. Malogrado su viaje de exploración a la Florida, pobre y desamparado, Álvar Núñez tiene que abrirse paso entre varias tribus y hacer una caminata que cubre miles de kilómetros y dura nueve años, llevándole a través de lo que es hoy el suroeste de los Estados Unidos y el norte de México. Cautivo de los indios, lucha, sufre penurias, emprende fugas y con el tiempo casi se convierte en indio él mismo. Su crónica *Naufragios y relación* (1542) no tiene gran valor como documento histórico, pero, en cambio, es una verdadera joya literaria. Su interés procede todo de su calidad narrativa: el autor escribe para el lector y habla sólo de sí y de sus aventuras, en un estilo rápido y de gran claridad gráfica en sus descripciones.

Numerosos entre los prosistas que se ocuparon de varios aspectos de la Conquista son los religiosos, y prominente entre ellos es Fray BARTOLOMÉ DE LAS CASAS (1474-1566), nacido en Andalucía. Misionero compasivo, campeón de los indios y abogado de su evangelización pacífica, es un paladín incansable en su defensa. Pero, al propio tiempo, sabe alternar con los mismos conquistadores que denuncia y paladear sus chismes y su conversación. En su prosa interminable y repleta de digresiones, pero salpicada de frases evocadoras, aparecen y hablan, de modo muy poco heroico, los conquistadores de alto y bajo rango. Retrata el buen fraile (con el mismo arte que después caracteriza las novelas picarescas) la codicia, la fe, el anhelo de poder, la rebeldía, las aventuras y hasta el saber de los españoles en América. Sus obras principales son *Historia de las Indias* (1527, continuada hasta 1561) y la extraordinaria *Brevísima relación de la destrucción de las Indias* (1552), que dió tanto material a los enemigos de España para fabricar la *Leyenda Negra* de la Conquista. Es autor también de la *Apologética Historia Sumaria* de las Indias.

Inquieto e incansable, aunque no muy erudito investigador, es GONZALO FERNÁNDEZ DE OVIEDO (1478-1557), natural de Madrid. Rompiendo con la historiografía de orientación humanística, a la manera del Renacimiento, Oviedo se pone a escribir una historia nativista, nacida de la observación directa. Describe a América sin compararla con Europa. La estructura de su filosofía se muestra en su obra: Dios, Naturaleza, Hombre forman un sistema inteligible, y al contemplar la naturaleza americana se completa el conocimiento de Dios. Al contrario de Las Casas, Oviedo defiende la Conquista y afirma (como tantos escritores posteriores) que los indios, por degenerados, perezosos y estúpidos, no merecen ni pueden formar parte del nuevo imperio destinado a ser formado por los españoles. Sus obras sobre la Conquista son: *Sumario de la natural historia de las Indias* (1526) e *Historia general y natural de Indias* (1526-1549).

Entre los españoles que se esforzaron por comprender mejor a las civilizaciones indígenas sobresalen los frailes, y el leonés Fray BERNARDINO DE SAHAGÚN (1500-1590) es uno de los más prominentes de ellos. Ostenta un nuevo tipo de curiosidad intelectual: quiere evangelizar a los indios, pero para conseguir tan laudable propósito trata de indianizarse primero a sí mismo. Estudia los idiomas nativos, compila gramáticas y vocabularios y escribe sermones y tratados teológicos en lengua indígena. En su obra maestra, *Historia de las cosas de la Nueva España*, el autor recoge información etnográfica y folklórica con una actitud completamente objetiva. La escribe inicialmente en náhuatl (1560-1569) y más tarde la traduce al castellano (1577). Además de esta historia, es autor de cuatro obras en lengua mexicana sobre cuestiones del evangelio y gramaticales.

La sociedad establecida en América durante la Conquista y el período de colonización que la siguió refleja tanto los cambios en la vida de los españoles como en la de los indios. En ambos casos es una vida distinta de la que se conocía en la Península o en las culturas indígenas anteriores. Desaparecen las formas superiores de las culturas nativas, conservándose, en cambio, muchos de los hábitos humildes —en la agricultura, en la medicina, en las artes domésticas— y hasta en algunas de las artes superiores, como la literatura, la arquitectura y la escultura. Pero el fenómeno es más bien una fusión gradual de las formas autóctonas con las peninsulares para producir una raza y un ambiente vital enteramente nuevos.

Como es de esperarse, dadas las diferencias jerárquicas que separan a los peninsulares de los criollos y mestizos —diferencias de nivel social que conceden a los primeros una posición muy privilegiada— no tardan en surgir querellas entre estos grupos. Y estos recelos perduran, agravándose poco a poco, hasta los culminantes choques de la Emancipación. Pero, no obstante la difusión en América de este resentimiento político-social, España no deja de seducir con su literatura a los nuevos escritores de lengua castellana nacidos en las colonias. Hacia fines del siglo XVI ya abundan escritorzuelos en América, pero la madre patria es el imán de sus anhelos y los que pueden se van a la Península, donde escriben y publican sus obras.

Los prosistas mencionados hasta aquí han sido españoles nacidos en España, de alma y tradiciones peninsulares y orientados casi todos hacia la cultura europea. Pero tan pronto comienzan a escribir en español los criollos y mestizos del Nuevo Mundo, empiezan a producirse diferencias sintácticas e ideológicas. La apreciación de estas diferencias no fué inmediata, sino gradual y acumulativa, como sucede con todos los cambios culturales, y sólo en nuestros días se ha investigado el problema extensamente y con método riguroso. En la obra de estos criollos y mestizos (poetas y prosistas) encontramos la revelación de experiencias de una sociedad desconocida en Europa, la sociedad americana en la que se funden las formas y tradiciones de España y de las civilizaciones nativas. Para comprender mejor el desenvolvimiento de la prosa que se produce bajo tales circunstancias

conviene destacar a varios de los grandes y más representativos prosistas mestizos y criollos y comentar sus obras.

El mayor de todos los cronistas mestizos es, sin duda alguna, el peruano INCA GARCILASO DE LA VEGA (1539-
1616). Nace de la unión de una princesa incaica y un capitán y encomendero español. Se educa, joven, en la cultura
renacentista y humanística de la época y, a la vez, se fami-
liariza con la historia y las tradiciones de los incas. Combina en su preparación un concepto cristiano de la vida y
una comprensión honda del régimen español así como del
autóctono. Testigo de las guerras civiles del Perú y lector
de los historiadores de la Conquista, su concepción de la
historia resume sus antecedentes raciales, sus experiencias
vitales y su orientación bipolar: es trágica, estoica, pero no
pesimista. A los veinte años viaja a España y, tras un vano
litigio por su herencia paterna, pasa la mayor parte de su
vida en Córdoba, donde se encuentra su tumba. Ingresa al
campo de las letras con una traducción excelente de los
Dialoghi d'Amore de León Hebreo (1586-1590) y luego compone sus tres notables obras de historia: *La Florida del Inca,
o la Historia del Adelantado Hernando de Soto* (1605), *Comentarios reales* (1608-1609; 1616) e *Historia general del
Perú* (1617, póstuma). Su prosa es de una calidad muy superior; sintaxis ordenada y bien articulada, presentación
lógica y rigurosa. En suma, es la expresión de un autor
consciente de su talento artístico. Se dirige al público español y quiere hacerle comprender el mundo nuevo en sus
dos aspectos: nativo y peninsular. Se da cuenta de su *rôle*
privilegiado como intérprete de las dos culturas y es esta
calidad, así como su obvia sinceridad, la que concede un
encanto singular y perenne a los *Comentarios reales,* su obra
maestra.

Nacido en México de familia española-criolla, CARLOS
DE SIGÜENZA Y GÓNGORA (1645-1700) es el erudito y
humanista más notable de la Nueva España. Es religioso,
profesor, poeta y prosista. Sus versos son inferiores y ado-

lecen de todos los defectos y complicaciones conceptistas y culteranas tan difundidos en la Colonia de su época. Pero su prosa no barroca posee varios méritos, sobre todo la de sus crónicas de la corte del virrey Conde de Gálvez. Su prosa, sencilla y vivaz, es la de un buen conversador y artista en el narrar. Su primer libro es la *Primavera indiana* (1668) y entre sus prosas se destacan *Alboroto y Motín de México del 8 de junio de 1692* e *Infortunios de Alonso Ramírez* (1690), excelente narración de las aventuras y viajes de un criollo puertorriqueño, escrita en primera persona, y anticipo de la novela en Hispanoamérica.

La monja mexicana Juana de Asbaje, conocida por su nombre religioso SOR JUANA INÉS DE LA CRUZ (1648-1695), nace en circunstancias humildes, pero su vida y obras le valen la merecida reputación de ser la primera poetisa de su tiempo y el título de la "Décima Musa". Muy joven muestra su precocidad intelectual y su genio independiente, primero en la corte (donde sirve a la virreina) y luego en el convento. Nunca dejará de cultivar su entendimiento y nunca disminuirá su fama. Como poetisa, su talento se ajusta a todas las huellas barrocas contemporáneas, y escribe versos gongorinos y conceptistas además de comedias. Pero su mejor poesía ostenta una serenidad clara y lírica y una profundidad filosófica que la colocan muy por encima de la obra de casi todos sus coetáneos. Como prosista es notable. Tiene un estilo flexible, directo y vigoroso, sus ideas son racionales y claramente ordenadas, y falta a sus escritos toda vaciedad retórica. Posee Sor Juana, además, una poderosa vena de ironía que aprovecha de manera magistral, pues se expresa con un hábil dominio de todos los temas que trata. Cu *Carta a Sor Filotea de la Cruz* (1691), es un admirable ensayo autobiográfico y una simpática defensa de su anhelo de saber. En la *Carta atenagórica*, refutación al padre Vieira, religioso brasileño y maestro de oratoria sagrada, se exhiben las virtudes de su prosa a pesar de pecar ella, como todos los prosistas de su época, al emplear períodos largos, relativos abundantes y copiosas citas latinas como pruebas de su propia erudición.

Semejante en su saber al mexicano Sigüenza y Góngora es el peruano PEDRO DE PERALTA BARNUEVO (1663-1743). Lingüista, historiador, jurista, matemático, astrónomo, dramaturgo y poeta, su obra es dominada por el estilo gongorino, pero en ella se ofrece también un adelanto del enciclopedismo que más tarde, en el siglo XVIII, tendrá tanto alcance. Sus principales obras en prosa son: *Historia de España Vindicada* (1730) y *Pasión y triunfo de Cristo* (1738), escrita esta última cuando Peralta está en los umbrales de la muerte. Le vale un proceso de la Inquisición, a pesar de su prestigio y avanzada edad, porque al querer interpretar a su modo el sentido de Cristo viola las normas establecidas y se mueve contra la corriente formalista y tradicionalista que domina en el Perú.

Prosa muy distinta a la de Sigüenza es la de CONCOLORCORVO (mediados del siglo XVIII), escritor misterioso. ¿Es en verdad él, como afirma, Calixto Bustamante, Carlos Inga, hijo de una princesa del Cuzco? Es autor de la notable obra *El lazarillo de ciegos caminantes* (1773), irónica narración que trata de un viaje de Montevideo a Lima. Ejemplo de prosa novelística, su libro, cuyo estilo es quevedesco, es muestra única en su tiempo neoclásico, y ofrece unas vivas descripciones, comunicadas en lenguaje realista, de la naturaleza y de las costumbres sociales que observan los viajeros. Al mismo tiempo, revela por parte de su autor una actitud crítica y liberal respecto a la moral, la religión y la historia.

Otro escritor de genio mordaz es el mexicano Fray SERVANDO TERESA DE MIER (1765-1827). Cura aventurero, reo político, patriota y militar, orador y maestro en fugarse de cárceles, la obra de Mier refleja lo turbulenta y revuelta que fué su vida. Lector de la *Enciclopedia*, viajero en Europa y partidario de la independencia de su patria, su vida, simbólicamente, cubre los últimos años de la Colonia y concluye en el alba de la Independencia. Inteligente e irónico observador de los problemas sociales y políticos de su época, como lo demuestran muy bien sus discursos y escritos. Mier escribe la primera *Historia de la revolución de Nueva España* (publicada en Inglaterra, 1813) y unas memorias, que más bien parecen novela picaresca, *Apología y relaciones de su vida* (1817). Su prosa agitada, a veces incoherente y siempre vivaz, es una magnífica muestra de genuina literatura autobiográfica.

La Emancipación, fruto de hondas raíces sociales, económicas y políticas, nace y se desenvuelve también impulsada por poetas, maestros, panfletistas —escritores todos inflamados por los nuevos ideales del liberalismo—. El enciclopedismo de la Ilustración francesa y las doctrinas propugnadas por las revoluciones de Norteamérica y Francia habían formado un ambiente propicio a la libertad, y las primeras batallas libradas contra los gobernantes españoles son mechas que, aquí paulatinamente y allá con rapidez, prenden una conflagración que llega a ser ancha e incontenible. Estos escritores, que constituyen la parte más activa de la minoría intelectual colonial, hacen de la literatura, antes simple diversión o pasatiempo, un acto y muchas veces un apostolado trascendental. Crece grandemente el número de periódicos y panfletos, instrumentos eficaces de la campaña libertadora, y se difunde la noción de la dignidad del hombre como individuo, la del progreso, la de la libre conciencia en conceptos religiosos y la de la necesidad de abolir toda forma de esclavitud y todo vestigio de la herencia feudal de la Colonia.

Entre los prosistas que más contribuyen al éxito de las guerras de independencia está JOSÉ JOAQUÍN FERNÁNDEZ DE LIZARDI (1776-1827), que gusta de firmarse "El Pensador Mexicano". Grande es la deuda de la literatura hispanoamericana para con Lizardi, pero más por su energía reformadora y calidad de innovador que por mérito estético u originalidad de ideas. Inicia su carrera como poeta satírico, escribiendo versos populares. Autodidacta, educado en el liberalismo francés y lector de sus obras proscritas, se lanza al periodismo en 1812, publicando su célebre *El Pensador Mexicano*. Sus censuras al gobierno virreinal le llevan a la cárcel, fenómeno que después se repite muchas veces en su vida. Moralista más bien que patriota, quiere ver las instituciones sociales y políticas en armonía con la razón y la libertad. Aparte de su dedicación al periodismo, redacta folletos y libros; lucha por la educación popular, defiende a los fracmasones, y lucha con tanto denuedo que llega a sufrir la excomunión. Escribe la primera novela hispanoamericana, *El Periquillo Sarniento* (1816), mezcla de episodios picarescos, costumbrismo y lecciones morales, y sigue con tres novelas más. Su prosa es sencilla, popular, directa; sus ideas, nunca extraordinarias pero siempre expresadas con buen sentido. Observador curioso de la vida y analista de las instituciones y costumbres, Lizardi es ante todo un periodista con mucho de maestro de escuela.

El Libertador SIMÓN BOLÍVAR (1783-1830), venezolano de nacimiento, es un bello ejemplo de un tipo bastante común en la vida hispanoamericana: el hombre de acción que también posee talento para la literatura. Educado por su buen maestro, don Simón Rodríguez, Bolívar tiene una preparación humanística filtrada por la filosofía de la Ilustración, y nada debe sorprender el admirable estilo de su prosa. Quizá el mejor literato entre los guerreros que lucharon por la independencia, su lenguaje, como su genio, es vivo, flúido, claro, y comunica briosa y eficazmente los ambiciosos ideales que tiene para el porvenir americano. Entre sus mejores prosas descuellan su *Discurso ante el Congreso de Angostura* (1819) y su famosa *Carta de Jamaica* (1815).

Como Bolívar, ANDRÉS BELLO (1781-1865) nace en Venezuela y, como El Libertador, pertenece a América. En su vida fecunda y activa pasa largo tiempo en Inglaterra y Europa y treinta y cinco años en Chile, su patria adoptiva. Orgullo de las letras hispanoamericanas, simboliza lo mejor

del aspecto intelectual del movimiento independentista. Su
educación es ecléctica y perpetua, pues nunca deja de aprender, y sintetiza en sí lo mejor del clasicismo, de la Ilustración y un espíritu innovador y americanista. Cultiva, con
éxito, la poesía y la erudición, domina las lenguas antiguas
y modernas, traduce obras maestras de sus literaturas y se
mantiene al corriente de las ideas contemporáneas de Europa. Marcha en 1810 a Londres, con Bolívar, para servir
a la junta revolucionaria de Caracas y allí se queda hasta
1829. Allí publica su famoso periódico, *Repertorio Americano*, y varias de sus obras poéticas, y conoce el romanticismo francés e inglés en su cuna. Llegado a Chile, se destaca en la organización de la educación, en la compilación
del Código Civil nacional, y escribe una *Filosofía del Entendimiento*, publicada póstumamente en 1881. En Chile
también, participa en la famosa "polémica del romanticismo", como *clasicista* en contra de los románticos Sarmiento
y Alberdi. Bello se muestra enemigo sólo de la superficialidad, no de la renovación que predican los románticos. Publica en 1847 su meritoria y conocida *Gramática de la lengua española* y, durante su larga residencia en Chile, lleva
a cabo vastas, eruditas y originales investigaciones de literatura y filología. Su estilo, en todos sus numerosos escritos
en prosa, es de una claridad y concisión extraordinarias,
reflejo sin duda de su preparación clásica y disciplinada.
Pero a pesar de su densa erudición, Bello se esfuerza por
expresarse con sencillez. Tiene un verdadero odio por todo
lo que sea vago, nebuloso y descuidado.

III

LOS GRANDES PRECURSORES

En los años que siguen a la Emancipación surge una nueva generación de intelectuales, románticos en su literatura y liberales en sus ideas políticas. Ansiaba esta generación completar la obra de los libertadores, pues sus miembros más perspicaces se daban cuenta de que aunque el criollo había reemplazado al peninsular en el gobierno, la verdadera revolución social que aseguraría al pueblo los derechos proclamados pero jamás establecidos por Bolívar y San Martín quedaba todavía sin cumplirse. La lucha en verdad había sido entre la vieja España de Europa y la joven España de América; ésta había triunfado, pero seguía siendo una colonia española porque tres siglos de historia, con todos sus hábitos y tradiciones, no se destruyen en un instante, a raíz de una determinación hecha por un pequeño grupo de pensadores, muchos de los cuales ni siquiera gobernaban en sus propios países. Los próceres intelectuales hispanoamericanos, por tanto, arrostrando la realidad americana, se dedican briosamente a ampliar la emancipación política ya lograda, tratando de convertirla también en una plena liberación mental y constituir así un genuino y autónomo carácter hispanoamericano. Desean cambiar la estructura misma de la sociedad. Quieren poner la política al servicio de la educación, buscan una filosofía social más bien burguesa, de sentido progresista y con base científica. Se inclinan a tomar a Norteamérica como modelo para llegar

a la meta deseada, pugnando por una educación de tipo anglosajón, o encuentran el remedio en un régimen de gran
industria, cuyo fruto sería el aumento de la riqueza nacional. Piden una filosofía "americana", positiva y realista, y
se oponen a la filosofía tradicional española, calificándola
de escolástica y anticientífica.

La tarea que se proponen estos hombres es de veras
titánica, digna del carácter romántico y utópico que ostentan en común. Las cruentas y largas luchas revolucionarias habían destruído gran parte de la riqueza de los
nuevos países y habían diezmado a sus habitantes, quienes
sufrían la pobreza y la ignorancia. En casi todas las nuevas naciones las enfermedades políticas endémicas, heredadas de la época colonial, se derraman en una verdadera epi-
demia de anarquía: alternan las guerras intestinas y los
caudillos, salvo donde gobierna un hombre enérgico y de
alto carácter moral (Chile, por ejemplo). Fracasan gobiernos republicanos o monárquicos, partidos liberales o con-
servadores. No es sino hasta la época comprendida entre
1860 y 1870 cuando comienzan a organizarse estos países
y a estabilizarse sus gobiernos, ya sea porque se hayan convertido en democracias legítimas o porque tengan una mano
firme y persistente en el mando.

Este es, a grandes rasgos, el escenario donde han de actuar los grandes prosistas, verdaderos ensayistas-precurso-
res, que nos ocupan ahora.

La literatura durante esta época romántica y anárquica, por mucho que extrañe, prospera maravillosamente. En
primer lugar, como en los años de la Emancipación, las letras siguen en boga como un instrumento utilísimo en política: periodismo, oratoria, ensayos —hasta poesía, drama
y canciones—, todos tienen su intención política. Es que
los hombres de letras, a pesar de la anarquía que los rodea,
se consideran obligados a declararse quijotescamente a favor de la justicia social y opuestos a las fuerzas del des-
orden. Además, los ideales neoclásicos que habían dominado durante las luchas por la independencia reciben ahora

una transfusión romántica, y en la nueva moda literaria que imperará hasta pasado el 60, se destacan el gusto por la historia, el color local, el sentimiento y la intuición. De ahora en adelante, todos estos elementos estarán presentes en la prosa o influirán de algún modo en su génesis y estilo.

Es en la Argentina donde se forma la primera generación auténtica de las letras hispanoamericanas, la famosa generación romántica de 1830. Se da en esa década tercera del siglo un grupo de jóvenes escritores instruidos en los mismos libros y unidos por una común actitud vital ante la realidad de su momento histórico. Estos jóvenes presencian las calamidades que atraviesa la patria: el fracaso de los esfuerzos de Rivadavia por consolidar el país, el antagonismo económico y de cultura entre Buenos Aires liberal y las provincias tradicionalistas, el régimen feudal, mal llamado "federal", de Juan Manuel de Rosas; y sus reacciones ante tales sucesos coinciden fundamentalmente. Se congregan en tertulias, escriben en los mismos periódicos, denuncian como caducas las normas antiguas y, a la vez, presentan, en un estilo nuevo, un conjunto de ideales orientados hacia el futuro.

El propulsor de esta generación es ESTEBAN ECHEVERRÍA (1805-1851), poeta, pensador y fundador, en 1838, del grupo liberal Joven Argentina, o Asociación de Mayo. Pasa a París cuando tiene veinte años y vive durante cuatro en la metrópoli francesa observando y estudiando las corrientes de romanticismo y liberalismo. Al regresar a Buenos Aires traduce estos ideales europeos (franceses, ingleses, alemanes) en una fórmula romántica, aplicable a los problemas de la Argentina. Continuará, muchas veces en el destierro político, la obra revolucionaria de mayo de 1810 (fecha en que se inició el movimiento contra España), luchando por un régimen político liberal; y en literatura, mostrará Echeverría una gran simpatía por el pueblo, descubriendo en su vida las posibilidades de una literatura autóctona, derivación de las características esenciales de la historia y la geografía de las pampas.

Aquí nos interesa su obra en prosa, pero de paso conviene notar que en su poesía (*Elvira o la novia del Plata,* 1832; *Los consuelos,* 1834; *Las rimas,* 1837) se consagra a su idea de celebrar el paisaje, la tradición, el color local, el pueblo y la historia patria. Tal es el entusiasmo de la juventud letrada de la época, que se cree que con *La cautiva* (composición incluída en *Las rimas*) se ha fundado la literatura nacional argentina. Y a esta creencia, más que al mérito intrínseco de sus versos, se debe la reputación poética de Echeverría.

Es mejor prosista que poeta. Su cuento *El matadero* (¿183.?) es un magnífico cuadro de costumbres, vigoroso y realista, que siempre ocupará un alto lugar en la literatura hispanoamericana. Pero en su *Dogma socialista* (1839), publicado en Montevideo, y en las prosas menores precedentes y posteriores está lo medular de su obra. En ellas el lector se da cuenta del plan serio y la doctrina clara que Echeverría propone a los jóvenes que le rodean, animados por el ideal de reformar y liberalizar la nación. El *Dogma* encierra, en forma condensada, su enseñanza política. Prosa transparente, repleta de palabras simbólicas ("asociación, democracia, libertad, progreso, igualdad, fraternidad, pueblo, individualidad, solidaridad"), salpicada de metáforas y otras figuras retóricas, compuesta de mesuradas frases que muchas veces son lemas o aforismos, manifiesta un desarrollo lógico de ideas y un estilo animado. En fin, una prosa donde se revela el intento sincero y el hondo propósito moral de un escritor que ha sabido aclimatar una herencia en parte neoclásica a la nueva atmósfera del romanticismo.

JUAN BAUTISTA ALBERDI (1810-1884), a quien se ha llamado "el primer positivista del Río de la Plata", es uno de los pensadores que mejor comprenden los ideales de Echeverría y la generación de Mayo. Y esto a pesar de ser antirromántico por naturaleza: reflexivo, cauto y frío observador, inclinado siempre a adaptarse a circunstancias nuevas. Como los de Mayo, vive proscrito en Montevideo y, además, visita Chile, donde sostiene polémicas con Sarmiento. Luego va a Europa, donde pasa casi todos sus últimos cuarenta años, regresando a su patria sólo poco antes de su muerte, ocurrida en París. Inicia su labor literaria con unos artículos de costumbres, críticos y mordaces, pero su fama se debe más a la significación política de su obra que a su aspecto artístico. Escribe, también, una novela alegórica. *Peregrinación de Luz del Día* (1871), sátira sobre la política rioplatense.

Como Echeverría, Alberdi defiende la idea americanista. Cree que los nuevos países necesitan para un desarrollo armonioso leves apropiadas a sus necesidades y se da cuenta de que tales leyes no pueden ser simples imitaciones de modelos extraños. De todas sus obras en prosa, la más notable es *Bases para la organización política de la Confederación Argentina* (1852-1858); escribe además *El crimen de la guerra, Estudios económicos* y *Cartas quillotanas*. Las *Bases*, con su idea central de que las constituciones americanas deben dirigirse a la obra de "poblar" ("...hoy nos poblamos nosotros mismos... Necesitamos constituciones, necesitamos política de creación, de población, de conquista sobre la soledad y el desierto"), tendrán una decisiva influencia en la Constitución argentina de 1853.

Su estilo en prosa es el de un estadista preocupado siempre por el problema de América: ha meditado y tiene mucho que decir, pero el tiempo no le permite declamar ni poetizar con frecuencia. Refrena su emoción, agudiza su razón, y se expresa en claros conceptos, frases y párrafos cortos y directos, comparaciones concretas, aforismos y sentencias. Parco, seco, contundente, de él ha dicho Luis Alberto Sánchez: "Alberdi posee el arrastre permanente, si se quiere frío, pero eficaz, del que habla la verdad, del que con la verdad —como dice el lema de la República Oriental del Uruguay— 'sabe que ni teme ni ofende' ".

Uno de los primeros estudiosos de la literatura hispanoamericana es JUAN MARÍA GUTIÉRREZ (1809-1878), íntimo amigo de Alberdi. Aunque pertenece a la generación de Mayo y es emigrado, poeta, costumbrista y novelista, se distingue de sus compañeros. Ellos casi todos son románticos, tienden a ser turbulentos, descuidados; él, como Alberdi, escribe con más de una huella neoclásica. Se dirige a un público lector culto y cuida mucho de su expresión, aunque a veces, como en su novela *El capitán de patricios* (escrita en 1843 pero no publicada hasta 1874), sigue, en una prosa poética, las fórmulas románticas de una literatura lacrimosa. Respeta el pasado literario e idealiza en sus obras de fantasía a los gauchos e indios de otros tiempos. Le cabe la distinción de haber publicado la primera antología poética hispanoamericana del siglo XIX, *América poética* (Valparaíso, 1846). Su obra crítica y erudita es grande y variada; su estilo —como su carácter—, reflexivo y sosegado; su juicio, sereno y certero. Publica artículos de revista, apuntes biográficos, estudios sobre instrucción pública; edita obras de autores como Olmedo y Oña, y hasta traduce las vidas de Franklin y Washington. Mentalidad excepcional, se dedica a estudiar y a divulgar los méritos de una literatura que apenas había nacido, y esta misma dedicación restringe sus talentos. Porque el crítico, por buena que sea su obra, no puede sobrepasar el tamaño de la literatura a la cual se consagra.

El romanticismo suele ser considerado ante todo como un movimiento literario que alcanza sus mejores triunfos en la poesía, en el drama y en la novela. En Hispanoamérica, sin embargo, el mayor exponente del romanticismo, DOMINGO FAUSTINO SARMIENTO (1811-1888), no es un poeta sino un prosista que nunca intenta ni el drama ni la novela. Trabajo imposible es el de condensar en unos cuantos párrafos la vida y la obra de un hombre cuya figura, con el tiempo, va adquiriendo dimensiones tan vastas que rivaliza con la inmensidad de la misma pampa que él conmemora en sus libros. Cincuenta y siete volúmenes suman las *Obras completas* de este gigante de la pluma. El más grande de los escritores que forman la generación de Mayo, Sarmiento es, con San Martín, el argentino cuya biografía se conoce mejor en la América hispana. Basta recordar aquí su origen humilde, su sed insaciable de saber, la educación que gana por sus propios esfuerzos y los grandes ideales que lleva a la realidad durante su larga actuación en el gobierno como presidente y ministro; basta recordar sólo estos hechos para darse cuenta de que su vida y su obra se reflejan fielmente en el curso de la historia argentina del siglo XIX. En las atinadas frases del escritor argentino Enrique Anderson Imbert, Sarmiento "sentía que su yo y la patria eran una misma criatura, comprometida en una misión histórica dentro del proceso de la civilización. De aquí que sus escritos, siendo siempre actos políticos, tengan un peculiar tono autobiográfico". Romántico, utópico, simpatizaba con el hombre común y creía que con el don de la educación popular todo individuo podía convertirse en ciudadano ejemplar. ¿No lo demostraba su propia vida? Dueño de un espíritu dinámico y una voluntad férrea, ¿cómo culparle si no recuerda que falta esta feliz combinación de cualidades a la mayoría de los hombres?

Su vida se desarrolla en etapas bien distintas. Emigra a Chile cuando tiene dieciocho años, vuelve por corto tiempo a la Argentina y es exilado por sus ataques al caudillo Juan Facundo Quiroga. De nuevo en Chile, prosigue sus variadas lecturas de autores extranjeros y se perfecciona en los idiomas. En 1843 publica *Mi defensa*, librito autobigráfico, y luego su obra clásica, *Civilización y barbarie: Vida de Juan Facundo Quiroga* (1845). El *Facundo* es un análisis sorprendente de los males sociales que afligen a la patria que él anhela civilizar, transformar. Es un libro profético, poderoso, que pronostica la reconstrucción orgánica que sobrevendría pronto en la Argentina, pero que todavía hoy no ha terminado en otros países hispanoamericanos. La tendencia a la exageración —rasgo típicamente romántico— está presente en toda la obra: Facundo no es tan depravado como Sarmiento lo pinta, las ciudades no son tan civilizadas ni la pampa tan bárbara como Sarmiento quiere hacernos creer, los gauchos no son tan hábiles, etc. Pero esta exageración (en gran parte indudablemente inconsciente) logra dar al libro una cualidad melodramática que le confiere un interés perdurable. Es la mejor clave para comprender la visión de la Argentina que tienen los de la generación de Mayo. Ahora Sarmiento escribe y publica con regularidad. El gobierno chileno le envía a Europa y a los Estados Unidos para que estudie sus métodos pedagógicos (1845-1848). En 1849 aparecen *De la educación popular* y *Viajes*. En 1850 da a la estampa sus encantadores *Recuerdos de Provincia*, continuación de *Mi defensa*. Su estilo se ha hecho más personal, más maduro. Dedica los años de 1851-1852 a actuar como gacetillo oficial en la lucha triunfante del general Urquiza contra Rosas y cuenta sus experiencias en un libro, *Campaña en el Ejército Grande* (1852). Receloso de la pureza cívica de Urquiza, en quien encuentra características de caudillo, Sarmiento regresa a Chile. Pero tres años más tarde retorna a su patria para comenzar el período más brillante de su carrera como constructor de la nación. Sucesivamente diputado, gobernador de San Juan (1862-1864), ministro en los Estados Unidos (1865-1868) y presidente de la República (1868-1874), lleva a cabo su vasta obra de crear un país moderno en todos los sentidos. Y después de dejar la presidencia sigue prestando sus servicios a la nación. Durante estas tres últimas décadas de su vida (muere en 1888) vive siempre con la pluma en ristre: escribe discursos, artículos periodísticos, libros de enseñanza, biografías de Franklin, Lincoln y otros grandes hombres a quienes admiraba. Se destacan entre sus últimas obras *Conflictos y armonías de las razas en América* (1883), un estudio de sociología positivista, que nunca termina, sobre las características raciales de la sociedad hispanoamericana, y *Dominguito* (1886), biografía de su hijo muerto en la guerra paraguaya (1864-1870).

La prosa de Sarmiento es única, producto natural de su temperamento y su vida activa y agitada. Su estilo es autobiográfico, porque el describir la realidad la personaliza, animado por el deseo de reformarla y organizarla según sus propias aspiraciones. Prosa desigual, apresurada, la suya, escrita por un hombre cuyas ideas rebosantes no pueden detenerse. No siempre logra Sarmiento unificar debidamente sus conceptos y por eso a veces nos parecen elípticos sus párrafos. Pero, en cambio, hay en su prosa una vitalidad que estimula al lector más flemático y mantiene su interés. Sus mismos descuidos contribuyen a la individualización de su genio, porque nunca son los de un escritor mediocre o común. Al describir la pampa, al narrar una hazaña gauchesca, al recordar un incidente familiar, al comentar una teoría social o al exponer una noción pedagógica, Sarmiento alcanza fácil y naturalmente la plenitud expresiva.

Durante la tiranía de Rosas, los jóvenes proscritos de la generación de Mayo llevan al Uruguay y a Chile sus ideales románticos y nacen en esos países, como consecuencia, importantes movimientos literarios. Es entonces, en 1842, que surge en Santiago la famosa "polémica del romanticismo" mencionada en el capítulo anterior en los párrafos dedicados a Andrés Bello.

El más importante entre los chilenos que apoyan a los románticos argentinos es JOSÉ VICTORINO LASTARRIA (1817-1888). De cuna humilde, Lastarria estudia con Bello y José Joaquín de Mora, célebre erudito español neoclásico. Es la época de la dictadura conservadora de Diego Portales, y el ambiente político parece inspirar en él un creciente amor por la libertad. Graduándose de abogado, comienza su carrera docente. Traba amistad con Sarmiento, Alberdi y otros argentinos. En 1842, en su discurso inaugural como presidente de la Sociedad Literaria, señala la necesidad de una emancipación intelectual, y declara que la literatura debe ser la expresión auténtica del carácter nacional, pugnando así por la creación de una literatura chilena. Su carrera es variada: parlamentario, diplomático, ministro, periodista y amigo de las letras. Enemigo de la influencia española en América, defiende el criollismo y anhela ver desarrollarse una nueva cultura americana. Su obra consta de artículos, discursos, informes y polémicas. En sus ideas es liberal; en su estilo, más bien neoclásico. O dicho de otra manera, su mente disciplinada se asemeja a la de Bello, mientras que sus ideas impetuosas nos recuerdan las de Sarmiento. Intenta, sin gran éxito, el cuento, la novela y el teatro. Pero como historiador y crítico social y literario tiene un estilo claro y persuasivo, de gran eficacia polémica. Algunas de sus mejores prosas son: *Investigaciones sobre la influencia social de la conquista y del sistema colonial de los españoles en Chile* (1844), *Miscelánea literaria* (1855), *La América* (1867), *Lecciones de política positivista* (1874) y los amenísimos *Recuerdos literarios* (1878).

Durante los mismos años en que la generación de Mayo desarrolla su labor constructiva en la región rioplatense e influye en el mundo intelectual chileno, hay esfuerzos semejantes pero menos difundidos en algunas partes norteñas de Hispanoamérica, sobre todo en Cuba y en México.

Dos grandes precursores cubanos, JOSÉ ANTONIO SACO (1797-1879) y JOSÉ DE LA LUZ Y CABALLERO (1800-1862), dan poderoso ímpetu al movimiento separatista (Cuba no será independiente hasta después de 1898) y luchan por una reforma cubana en lo político, lo social y lo cultural. Discípulo del P. Félix Varela, introductor de la Ilustración en Cuba, maestro, jurista y magnífico polemista, Saco es un liberal de procedencia neoclásica que pasea su erudición enciclopédica por todos los campos del conocimiento y escribe sobre temas variadísimos. Pero a pesar de la universalidad de sus inclinaciones, su pluma se consagra ante todo a señalar los males que impiden la ascensión y progreso de Cuba y a sugerir posibles soluciones. Dirige revistas, redacta artículos pedagógicos, defiende la Academia Cubana de Literatura, estudia problemas comerciales y económicos y denuncia la esclavitud. Su prosa, de desarrollo lógico e ideas ordenadas, vibra de sinceridad y se revela en ella su honda preocupación por el destino de su patria. Vigoroso en la polémica, juicioso en su pensamiento y constante en su propósito nacionalista, Saco es uno de los mejores prosistas cubanos del siglo XIX. Su producción se recoge en la *Colección de papeles científicos, históricos, políticos y de otros ramos* (1858-1859) y deja inconclusa una obra monumental, *Historia de la esclavitud* (1883).

LUZ Y CABALLERO, semejante en muchos aspectos a Saco, le sucede en su cátedra de filosofía y más tarde funda el Colegio de El Salvador, tan importante para la educación cubana. Excepcional estudioso de lenguas e infatigable viajero, visita los Estados Unidos, Inglaterra y otros países europeos y conoce a muchos de sus grandes hombres. Sus potencias convergen gradualmente en la dirección del magisterio, y al regresar a Cuba introduce una serie de innovaciones pedagógicas en los colegios que dirige. Al mismo tiempo, sus ideas nacionalistas le llevan a acogerse a la Sociedad Patriótica. Sus novedades docentes, que tienden al método explicativo, originan una serie de polémicas en las cuales Luz se defiende con vigor y precisión. Las polémicas principales se encienden en torno a la filosofía ecléctica del francés Víctor Cousin, de moda por aquel entonces, a la que se opone con éxito Luz y Caballero. Luz nunca escribe un libro completo, pero sus discursos, estudios, artículos y cartas muestran una prosa de estilo directo y eficaz, vehículo esclarecido de un maestro de maestros y apóstol de la educación cubana.

El doctor JOSÉ MARÍA LUIS MORA (1794-1850) representa el mejor pensamiento histórico y político del México independiente y se le considera como el padre de la gran Reforma de 1857. A pesar de haber nacido en pleno neoclasicismo, sus ideales son liberales y en cierto modo anticipan la filosofía positivista que dominará bajo los "Científicos" de la época de Porfirio Díaz. Economista, pensador social, pedagogo y periodista, Mora es enemigo de la tradición colonial y pretende reformar la mentalidad mexicana sobre bases menos teóricas y más positivas. Encomia el espíritu de investigación en los jóvenes porque cree que esto conducirá a la organización de la sociedad que anhela. Pero desea que esta finalidad sea alcanzada por medio de una obra persuasiva y educativa, y no por la violencia. Portavoz librepensador de la clase media mexicana, anticlerical y antimilitar, ataca con vehemencia a estos grupos privilegiados. Sus ideales políticos y sociales le obligan a exiliarse en París, donde edita sus obras más importantes: *México y sus revoluciones* (1836) y *Obras sueltas* (2 vols., 1837) y donde muere. Su estilo es lúcido y sobrio, pero poco elegante. En sus escritos no polémicos a veces su prosa es encantadora, clara, leve y salpicada de aptos aforismos. Por sus ideas y su actuación merece Mora una fama mayor de la que hasta ahora ha ganado en las naciones hispanoamericanas.

IV

LOS PRIMEROS ENSAYISTAS

Pasada la época anárquica y romántica en literatura, caracterizada por regímenes caudillescos e inestables en política, sobreviene en la sexta década del siglo XIX un período de organización, en muchas de las naciones hispanoamericanas, que continuará hasta fines del siglo. Los grandes esfuerzos de constituir un verdadero carácter hispanoamericano y de consolidar la emancipación política ganada de España comienzan paulatinamente a dar fruto. Lo que había parecido innovación durante los primeros años de independencia, ahora se transforma en una parte permanente de la estructura social. Ya no existen clases hereditarias según el viejo patrón europeo; ahora las divisiones sociales se hacen solamente sobre una base de poder, riqueza o educación. Perduran las instituciones republicanas, de nombre cuando menos, y sus formas se observan de hecho aquí, nominalmente allá. En la educación, tras la aparición de una variedad de influencias filosóficas que reemplazan la tradición escolástica de la Colonia, se imponen las doctrinas positivistas del sociólogo francés Augusto Comte y del filósofo inglés Herbert Spencer, doctrinas que se proponen la solución de los problemas humanos por el método científico. El positivismo se extiende con señalado éxito en el Brasil, en México, en la Argentina y en Chile. Es en esta época, también, cuando alcanzan su mayor auge los movimientos nacionalistas de México y de la Argentina. En esta última nación, después de la caída de Rosas (1852), el gobierno se organiza sobre las bases constitucionales de Alberdi y los tres primeros presidentes son hombres de letras: Mitre, Sarmiento y Avellaneda. Durante estos años se origina la gran nación argentina moderna, liberal, pacífica y próspera. En México, el movimiento de la Reforma, cristalizado en la Constitución liberal y anticlerical de 1857, se lleva a cabo bajo el gobierno republicano de don Benito Juárez y, como en el caso de la Argentina, se echan las raíces de la magna república de hoy. El progreso ha venido a ser el lema del día y en casi todas partes se le honra; pero, a pesar de tal actitud, conviene recordar que la anarquía política sigue consumiendo las entrañas de la mayoría de los países hispanoamericanos y el hombre común no mejora mucho su vida social y política.

En literatura, la generación de 1830, que había introducido el romanticismo a nuestra literatura, comienza a abandonar la escena y el movimiento mismo se convierte en una tradición. Pero continúa este romanticismo, mientras se tradicionaliza, dedicándose a las mismas tareas de antaño: la conquista del paisaje americano, la reconstrucción del pasado del Nuevo Mundo y la descripción de sus costumbres. Los escritores nacidos de 1830 a 1845 que reemplazan a los de 1830 son también, en gran parte, románticos. Se suele llamarles la segunda generación romántica y se nota en ellos, a veces, un anhelo de diversidad. Su trayectoria literaria, en general, va del costumbrismo al realismo. Retienen muchos de ellos las imágenes, el vocabulario y la métrica de la generación de Echeverría, pero, en algunos casos, otros acuden al estudio de los maestros de la Edad de Oro de la literatura española o a las formas del siglo XVIII, tales como la oda o la silva que empleaban Meléndez, Quintana, Gallego, en España, y Bello, Olmedo y Heredia en América. Y esto lo hacen no sólo los poetas sino también prosistas como el ecuatoriano Juan Montalvo y el peruano Ricardo Palma.

Los escritores más característicos, poetas y prosistas, de

esta segunda generación romántica y de la generación que les sigue (nacidos de 1845 a 1865), son luchadores y constructores, dignos herederos de Bello y Heredia, Sarmiento y Mitre. Para ellos, como para éstos, la literatura es una forma de servicio público, dedicados como están a la defensa de la libertad y a la difusión de la verdad. En la segunda generación romántica se destacan las figuras de dos grandes prosistas a quienes, con cabal justicia, se les puede conferir el título de los primeros ensayistas de Hispanoamérica. Conviene ahora dedicar unas páginas a estudiar la vida y la obra de Juan Montalvo y Eugenio María de Hostos porque son, en muchos aspectos, características de los escritores que les siguen.

JUAN MARÍA MONTALVO (1832-1889) nace en una familia provinciana del Ecuador, de escasos recursos económicos, y toda su vida sufre de pobreza. Su salud nunca es muy robusta, tampoco. Se educa en Quito, estudiando filosofía y, en la Universidad, jurisprudencia, pero abandona su carrera universitaria antes de terminar dos años lectivos. En 1853 comienza a aprender lenguas modernas: francés, inglés e italiano, y se inicia en la literatura publicando algunos escritos en un periódico liberal, propiedad de su hermano. Pasa los años 1857-1860 en Europa, desempeñando cargos diplomáticos. Reside principalmente en París, pero viaja a Italia, Suiza y España. Regresa al Ecuador quebrantado de salud, y el 16 de septiembre de 1860 envía una carta de desafío al presidente García Moreno, documento que sirve de profecía de su actuación cívica posterior. Reza así en parte: "Algunos años vividos lejos de mi patria, en el ejercicio de conocer y aborrecer a los déspotas de Europa, hanme enseñado al mismo tiempo a conocer y despreciar a los tiranuelos de la América española. Si alguna vez me resigno a tomar parte en nuestras pobres cosas, usted y cualquier otro cuya conducta fuera hostil a las libertades y derechos de los pueblos, tendrán en mí un enemigo, y no vulgar". Pero los seis años siguientes los pasa en Ambato, su pueblo natal, sin publicar otra palabra más sobre la actualidad periodística o política de su patria.

A principios de 1866 se comienza a publicar *El Cosmopolita,* revista quiteña redactada totalmente por Montalvo desde Ambato. La oposición que hace al gobierno de García Moreno le convierte en el blanco de ataques violentos y en el receptor, también, de numerosas declaraciones de admiración y apoyo. El gobierno pronto interrumpe la publicación de la revista y Montalvo busca modo de refugiarse, abandonando el país. Los últimos números de *El Cosmopolita* aparecen a fines de 1868 y en enero de 1869, dejándose de imprimir la revista cuando estalla el golpe de Estado de García Moreno, el 7 de enero del último año citado. Montalvo se destierra en Panamá, luego se dirige a Francia. Seis años pasa fuera del Ecuador, sostenido por amigos adinerados, en Francia, Panamá, Perú y en el pueblecito colombiano de Ipiales, cerca de la frontera con Ecuador. Escribe folletos, artículos, ensayos sobre temas variados (paisajes, moral, política, etc.), que más tarde se organizarán en algunos de sus mejores libros. Y en agosto de 1875 García Moreno es asesinado. Al enterarse de la novedad, Montalvo hace su famosa exclamación, que muy poco tiene de exageración: "¡Mi pluma lo mató!" En mayo de 1876 decide regresar al Ecuador y entra en Quito, aclamado por sus amigos y partidarios.

Apenas seis meses le toca quedarse en su patria. Comienza a publicar *El Regenerador,* pero la revista alcanza sólo cuatro números porque otro golpe de Estado y otro dictador le fuerzan a abandonar el país por algunos meses. A su retorno se aísla de nuevo en Ambato, desde donde lanza otros números de *El Regenerador* contra el presidente Veintemilla y escribe más artículos y folletos. En 1880 se marcha a Panamá y ahí aparecen, en doce entregas, *Las catilinarias,* llenas de "odio santo" (según Rubén Darío), para Veintemilla. Hacia fines de 1881 llega a París en su tercero y último viaje a Europa. Lleva consigo los originales de tres libros: *Siete tratados, Capítulos que se le olvidaron a Cervantes* y *Geometría moral.* Sólo se imprimirá el primero en su vida, los otros dos libros serán póstumos. Pasa algunos meses en Madrid, donde es recibido con honores por Campoamor, Núñez de Arce, Castelar, Valera, etc. En Francia, a mediados de 1886, comienza la publicación de *El espectador,* revista unipersonal, inspirada en la de Addison, que contiene algunos de sus mejores ensayos, breves, amenos y gráficos. Escribe además artículos en francés para los periódicos parisienses. Durará dos años esta revista, última obra suya. Desde 1886 su salud ha declinado y en 1888 se enferma de pleuresía. Nunca logra reponerse de este revés, y fallece el 17 de enero de 1889.

Montalvo es uno de los más grandes prosistas que han escrito en lengua española. Su grandeza nace de una conjunción de varios factores. Es un polemista genial que dedica su pluma, quijotescamente, a promover ideales constructivos que nunca se realizan en su vida. Lucha contra los males de su patria, que también son los males de una gran parte de América: la anarquía política, el caudillismo militar, la implacable voluntad de poder del clero, la ignorancia de las masas, los abusos administrativos, lo cursi, la injusticia, la pobreza... Como hemos visto, ataca sin piedad a los déspotas de su patria con la única arma que sabe manejar. No necesita de ideas nuevas para proseguir con su tarea; le basta la repetición de unos principios antiguos y claros: justicia, honradez, tolerancia. Su larga polémica, aunque nace de una situación política, no es tanto política como literaria. Es decir, que su prosa trasciende los temas políticos para expandirse por el reino de la literatura. Atento más a la lengua que a las ideas, Montalvo se olvida muchas veces de lo que quiere decir, pero nunca de cómo quiere decirlo.

Maestro extraordinario, único, del lenguaje y del estilo, Montalvo se forma en la lectura de los grandes clásicos españoles y es capaz de simular el estilo de muchos de los autores del Siglo de Oro, sobre todo el de Cervantes. Pero le falta la cualidad de narrador que poseía Cervantes. En cambio, su talento se presta magníficamente al ensayo, en el cual nos recuerda a Montaigne y a Emerson. Además, en Montalvo siempre hay una inclinación oratoria, una tendencia a pronunciar discursos. Más vivaz y moderno que los autores españoles que le influyen, posee un vocabulario rico y un excelente sentido del ritmo, el color y la luz.

En gran parte de su obra se nota claramente este talento ensayístico. En *Las catilinarias* intercala hábilmente anécdotas para ilustrar su discurso denunciador, y en los *Siete tratados* encuentra el lector un sinnúmero de episodios sacados de la historia, de la mitología, de muchos campos del conocimiento humano, un vasto mosaico que sirve admirablemente para demostrar su tesis fundamentalmente moral. *Geometría moral,* obra de propósito semejante, es un intrincado tejido de alegorías y parábolas que exponen las fuentes donde se nutre el genio creador de Montalvo. Según más de un crítico autorizado, lo que salva a los *Capítulos que se le olvidaron a Cervantes,* remedo de novela, son los ensayos interpolados o puestos en boca de Don Quijote. No narra las aventuras del triste hidalgo sino que, partiendo de un comienzo de acción, viene a parar en una serie de ensayos sobre la pobreza, el valor, la inocencia en los caballeros, el decoro, etc. Sus ensayos varían mucho, y difícil es evaluarlos en orden de méritos. En sus últimos años, como se ha notado, escribe en *El espectador* cortas unidades de discurso que están muy bien: simples, enérgicos, ágiles. Pero ambiciona o, cuando menos, le lleva su genio a componer también "tratados" largos, enredados, abundantes. Estas obras mayores, los *Siete tratados,* por ejemplo, rebosan del talento de prosista que posee Montalvo: brillantes, rítmicas, ricas en metáforas, aforismos y aciertos poéticos; les falta una sola pero necesaria cualidad: la unidad.

Virtuoso del estilo, Montalvo escribe una prosa de las más ricas que ha producido el español de los tiempos modernos. En uno de los países menos progresistas de América, apartado de las corrientes de ideas de la Europa contemporánea, se pone a crear su lengua propia, una lengua engendrada, concebida en la lectura ávida y amorosa de siglos de literatura, y realiza así una de las maravillas de las letras hispánicas. Estampa frases, evita la expresión vulgar, da muestras de innumerables tradiciones literarias que han influído en sus páginas y evoca realidades con una prosa poética, concisa y lapidaria. Al obrar así se acerca a la forma expresiva que en las generaciones posteriores vendría a conocerse por poema en prosa. No es una de sus glorias menores el haber contribuído con su ejemplo e influjo a este aspecto de la transformación de la prosa en el siglo XIX.

LECTURAS: "La dictadura perpetua". *Montalvo. Antología* (México, 1942), págs. 23-24. * "Del genio". *Ibid.*, págs. 90-103.

CRÍTICA: Anderson Imbert, Enrique. *El arte de la prosa en Juan Montalvo.* México: El Colegio de México, 1948. Agramonte, Roberto. *El panorama cultural de Montalvo.* Ambato: Biblioteca de Autores Nacionales, 1935. *Homenaje a don Juan Montalvo*, en *América* (Quito), abril 1932. Contiene 21 estudios críticos por sendos autores. Rodó, José Enrique: "Montalvo", en *Obras completas.* Buenos Aires: Ediciones Antonio Zamora, 1948, págs. 549-597. Vitier, Medardo. "Los *Siete tratados* de Montalvo", en *Del ensayo americano*, págs. 75-94. Zaldumbide, Gonzalo. *Montalvo y Rodó.* New York: Instituto de las Españas en los Estados Unidos, 1938, págs. 7-87.

Si Montalvo puso la literatura sobre la política, el puertorriqueño **EUGENIO MARÍA HOSTOS (1839-1903) hizo lo contrario, y si Montalvo nunca pudo ser constructor activo de su pueblo, a Hostos le fué dado obrar en la realización de su ideal predilecto —la independencia de Puerto Rico—. Pensador austero y honrado, hombre estoico, severo y puro, su obra es viva y caudalosa. Apóstol en la lucha contra la barbarie, le mueven el ansia de la justicia y la pasión de la libertad. Como tantos otros de los grandes americanos, cree en el destino del Nuevo Mundo como patria de la justicia y de la bondad. Su nombre se oye en las naciones americanas, rodeado de un prestigio vago, porque pocos saben lo que en verdad significa. Lástima que

sea así; aunque Hostos nunca buscó la fama, es una de las
grandes figuras continentales que merecen ser mejor conocidas porque encarnan un símbolo que nos hace falta hoy
y siempre: el del hombre razonable y moral cuyas convicciones nunca flaquean.

Hostos llega a viajar por gran parte del mundo hispánico durante su vida activa y fecunda. A los doce años va
a España, donde se queda hasta alcanzar los treinta (1851-
1868). Allá conoce a varios de los krausistas españoles: Pi
y Margall, Sanz del Río y sus discípulos, líderes todos de
la renovación española, y con ellos trabaja y de ellos aprende.[1] Estudiante voraz, lo devora todo: ciencia, filosofía,
arte, literatura. Su educación es temprana, sólida, clásica.
Comienza a comprender el origen de los males que sufren
España y las patrias americanas, o sea la necesidad de una
conciencia social, clara e inteligente, que anime la estructura política. Concibe la idea de la autonomía de las An-
tillas y trabaja activamente para su advenimiento. Pero ve,
al iniciarse la primera República española, cómo el problema
de Cuba y Puerto Rico se menosprecia o se pospone. Des-
ilusionado, rompe con España en un memorable discurso
en el Ateneo de Madrid.

En 1868, cuando Cuba inicia su primera revolución,
Hostos se lanza a auxiliarla. pero su barco naufraga y nunca llega a conocer la isla. Hace, entonces, un recorrido por

---

[1] El krausismo se derivó de las doctrinas del filósofo alemán
Karl Christian Friedrich Krause (1781-1832) y fué introducido en
España por Julián Sanz del Río (1814-1868), después de sus estudios en Alemania. En España este movimiento, más que filosófico,
era un esfuerzo de renovación espiritual de las energías nacionales
en todas las esferas, pero sobre todo en educación y política. Muchos republicanos españoles apoyaron al krausismo como un impulso
contra el tradicionalismo en política, y en filosofía y educación se
concebía el movimiento como antagónico al escolasticismo. La fundación del Instituto Libre de Enseñanza se debió a notables krausistas y la influencia reformadora de este centro educador fué muy
grande durante las últimas décadas del siglo xix. Véanse los artículos sobre Krause y krausismo que inserta José Ferrater Mora en
su *Diccionario de Filosofía* (Buenos Aires, 1951), págs. 525-526.

las Américas, explicando desde el foro y la página impresa la lucha de los libertadores antillanos. Dondequiera que detiene sus pasos tercia en pro de la libertad y de la civilización. En 1879 establece su residencia en la única Antilla libre, en Santo Domingo, con la esperanza de ganar partidarios para la confederación antillana que tanto anhela. Trae también otro propósito más inmediato: el de educar maestros que después formarían a todo el pueblo. Establece la primera escuela normal, donde implanta una enseñanza moderna, basada en la ciencia positiva. Poco a poco, con el transcurso de los años, crece el influjo de su doctrina y se definen los contornos de la extraordinaria obra que lleva a cabo en el pequeño país. Moral e intelectualmente, su hazaña de educador es digna de compararse con la de Bello en Chile, la de Sarmiento en la Argentina y la de Giner de los Ríos en España. Diez años tranquilos y productivos (1889-1898) pasa luego Hostos en Chile, dedicado a la enseñanza. Participa en la reforma de las escuelas, apoyando la modernización de los planes de estudios y de los métodos, y participa también en la vida universitaria. El país lo honra y la ciudad de Santiago le declara hijo adoptivo.

Pero nunca logra olvidar sus ansias por la libertad antillana. La intervención de los Estados Unidos en la lucha cubana por la independencia despierta grandes esperanzas en él. Amarga es la decepción de este antiguo admirador de la patria de Jefferson cuando comprende que la política norteamericana no permitirá que se realicen los deseos de los puertorriqueños sedientos de libertad. Vuelve descorazonado a Santo Domingo en 1900 a renovar sus tareas pedagógicas y libertarias. Trabaja sin descanso como es su costumbre. Trastornos políticos dan un semblante caótico a la isla y en 1903 expira después de una enfermedad súbita y corta, aparentemente ligera. Pedro Henríquez Ureña afirma certeramente que "murió de asfixia moral".

Vasta es la obra de Hostos; la edición de sus escritos completos alcanza veinte volúmenes. Es en gran parte el producto de un maestro, sobre todo de un maestro de ética. Aun en los escritos que no tienen propósito didáctico, Hostos no puede dejar de aconsejar, discutir principios o explicar doctrinas. Su preocupación ética siempre está presente. Es una ética racional: cree que cuando se conoce el bien, se le lleva a la práctica; que el mal es un error que cometen los ignorantes. Sueña con el bien humano y exalta la fe en perseguir y adquirir la verdad. Se entrega al fin humanitario de educar al hombre en la ética racional, tal como él la concibe.

Esta tendencia de preferir la acción, o sea la conducta ética, al arte, afecta irremediablemente su obra. Le lleva al extremo de renunciar a la vocación literaria, sospechar de ella, y hasta a aborrecerla. Conjetura conflictos posibles entre la belleza y el bien; desconfía y rechaza a los autores que no se conforman a servir al hombre, a construir para la humanidad y a alentar a los descorazonados. Tuvo en su juventud, sin duda alguna, dotes singulares de artista literario y ambiciones de éxito en el mundo de las letras. Pero, como él mismo declara, una "crisis de carácter" le hizo considerar que la actividad literaria era "el oficio de los ociosos" y consagra su pluma preferentemente a propósitos didácticos.

Hace versos, teatro, relatos líricos, hasta música, para su intimidad personal y familiar. Su novela poética, *La peregrinación de Bayoán* (1863), es una alegoría de su pasión por la libertad y la justicia en América. No vale por su fin didáctico sino por la visión que comunica de la vida y del paisaje antillanos y por lo novedoso de su prosa íntima, matizada, viva, apasionada e imaginativa. Pero la prosa de esta novela extraña, escrita cuando el autor tenía sólo veinticuatro años, no es el lenguaje característico de su madurez. *La peregrinación* queda como muestra de la potencialidad creadora de Hostos y, junto con *Inda* (1878), sentimental relato de sus amores, y *Cuentos a mi hijo* (1878), nos da una idea de lo que pudiera haber escrito como autor imaginativo.

Su estilo característico, el de sus libros más conocidos, nace de negar toda cualidad íntima, todo elemento personal e individual, y de un esfuerzo por construir una prosa al modo de los krausistas y positivistas. Busca la eficacia didáctica, tiende a las abstracciones, exhibe una manía simétrica al construir sus períodos con miembros paralelos u opuestos. Su pensamiento, con toda su nobleza, sinceridad y sistematización, no es original ni demuestra ninguna aptitud teórica. En cambio, el radio de sus conocimientos y su curiosidad intelectual es grande, muy grande, como bien lo prueba la variedad de tópicos y opiniones que ostentan sus tratados, lecciones, discursos, cartas y artículos. Su libro más representativo es *Moral social* (1888). En él poco interesan al lector las páginas donde expone su tesis en la prosa del tipo que se acaba de describir. La fuerza y brillo de su estilo irrumpen, sin embargo, cuando Hostos trata de las varias actividades de la vida: la política, las profesiones, la escuela, la industria, y culminan en el capítulo donde expone sus ideas sobre el empleo del tiempo en la civilización tal como él la concibe.

Hostos nunca pierde su don de orador. Su discurso más notable es, sin duda, el que pronuncia en la investidura de sus primeros discípulos en la Escuela Normal de Santo Domingo, en 1884. En este discurso, como en el que pronuncia tres años más tarde ante las primeras graduadas del Instituto de Señoritas, deja otra vez el estilo intencionadamente impersonal, y con parábolas singulares y apóstrofes relucientes sintetiza su fe en la búsqueda y el hallazgo de la verdad. Habla de modo poético, simbólico, del sacrificio de su vida, de sus principios morales y de su concepto de la enseñanza como fundamento de reforma espiritual y mejoramiento social. Al primero de estos discursos se le ha llamado "la obra maestra del pensamiento moral en la América española".

LECTURAS: "Hamlet". *Eugenio María de Hostos* (vol. 27, Colección Panamericana. Buenos Aires, 1946), págs. 275-345. * "Deberes del hombre para con la humanidad". *Moral social* (Buenos Aires, 1939), págs. 118-128.

CRÍTICA: *América y Hostos, colección de ensayos acerca de Eugenio María de Hostos, recogidos y publicados por la Comisión pro celebración del centenario del natalicio de Eugenio María de Hostos.* La Habana: Editorial Cultural, 1939. Contiene una bibliografía crítica en las págs. 355-391. Balseiro, José A. "Crítica y estilo literarios en Eugenio María de Hostos". *Revista Iberoamericana* (México), Mayo 1939, págs. 17-27. *Hostos, americanista. Colección de ensayos acerca de Eugenio María Hostos, recogidos y publicados por Eugenio Carlos de Hostos.* Madrid: *Imprenta, Litografía y Encuadernación,* 1952. Massuh, Víctor. "Hostos y el positivismo hispanoamericano". *Cuadernos Americanos* (México), Noviembre-Diciembre 1950, págs. 168-190. Pedreira, Antonio S. *Hostos, ciudadano de América.* Madrid: Espasa-Calpe, 1932. Contiene una bibliografía crítica en las págs. 249-264.

V

LA GENERACIÓN DE 1880

Pisando muy de cerca las huellas de Montalvo y Hostos, alrededor del 80, aparece en la vida pública una generación de escritores y pensadores hispanoamericanos, estudiosos y disciplinados. Como sus antecesores de las dos generaciones románticas, han estudiado a los escritores clásicos y conocen también a los grandes maestros de la literatura castellana. Además, algunos de ellos muestran interés por la filología. Actúan en un ambiente menos anárquico y de mayor estabilidad política, pues en muchos de los países este período es de expansión capitalista: hay prosperidad, aumenta la inmigración europea y se intensifica el progreso técnico e industrial. Esta generación del 80, ansiosa de saber más de este mundo en expansión, deseosa de hacer una literatura más seria y sólida, se fija en un horizonte intelectual más distante que el que percibía Montalvo. Los hombres que forman la generación muestran un cosmopolitismo incipiente —bastante inusitado en el mundo intelectual hispánico— al principiar el culto de las novedades europeas en literatura y arte. Aparecen señales en toda Hispanoamérica de lo que es en verdad el florecimiento de un nuevo humanismo. Para Pedro Henríquez Ureña esta generación (que él considera como todavía predominantemente romántica en su orientación y sus ideales) y la que le sigue, o sea la primera generación modernista, constituyen "las dos mejores generaciones en la literatura hispanoamericana".

Antes de considerar a los ensayistas de la generación de 1880, destaquemos a algunas figuras señeras entre los demás prosistas del grupo para ilustrar la variedad y el mérito sólido de sus contribuciones a las letras hispanoamericanas, y el ambiente intelectual en el cual se forman estos mismos ensayistas. Los estudiosos colombianos Rufino J. Cuervo y Miguel Antonio Caro, habitantes de un país dominado por la tradición y eminentemente conservador, se dedican con notorio éxito a la lingüística y a la gramática y escriben una prosa todavía neoclásica, de asunto y actitud académicos. Entre los "hombres del 80" en la Argentina se destacan en la crónica, la crítica y la novela autores como Lucio V. López, Miguel Cané, Eduardo Wilde, Paul Groussac y Eugenio Cambacérès. Estos argentinos —y sobre todo Groussac— son de los primeros en América en estudiar a los grandes poetas y prosistas del movimiento parnasiano francés. Entre los novelistas del grupo, tambíén, se nota el cultivo del naturalismo francés y Cambacérès escribe novelas a la manera de Zola, empleando una prosa impetuosa, transcripción de la lengua popular bonarense, gráfica, coloquial, evocadora, amalgama de modismos criollos y frases italianas y francesas. En el Uruguay de esta época hay un novelista de nota, Eduardo Acevedo Díaz, autor de novelas históricas inspiradas en la independencia y formación de su país, románticas en la exaltación de los temas pero realistas en la fidelidad de observación. Dos mujeres escritoras, ambas peruanas, dan también su contribución al realismo. Clorinda Matto de Turner y Mercedes Cabello de Carbonera no fueron artistas eximias, pero la primera inicia lo que ha venido a ser una larga serie de novelas sobre el magno problema del indio en los países andinos. La segunda, estudiante de Zola, exhibe una técnica superior a la de Matto de Turner en sus obras, novelas que descubren los vicios y la corrupción del alto mundo urbano. El colombiano Tomás Carrasquilla, novelista regional y amante de Antioquia, su patria chica, ha cobrado fama por su obra innovadora, graciosa, ágil e irónica, dedicada a celebrar la historia y el folklore de su región predilecta. Venezuela tiene otro novelista notable en Gonzalo Picón-Febres, de tendencias sociológicas pero capaz de admirables análisis psicológicos. En México, donde la novela realista tiene larga tradición, se destacan como artistas del género José López Portillo y Rojas, Emilio Rabasa y Rafael Delgado. En sus obras hay un realismo gracioso que no alcanza la crudeza del naturalismo de Zola, y no pocos restos del romanticismo y del costumbrismo.

Es indudable que entre estos hombres del 80, cultivadores de todos los géneros literarios, sobresale un grupo de pensadores que por sus ideas y su estilo merecerá la atención por largo tiempo de todo el que se interese por conocer en sus raíces los problemas de la época. Son polígrafos casi todos ellos, pero una de las facetas de su variada actividad es la del ensayismo.

Comencemos con el peruano **MANUEL GONZÁLEZ PRADA (1848-1918), que escribe primero una poesía de tono suave y melancólico y no se distingue como prosista hasta después de 1880. Aparece en la tribuna a raíz de la derrota desastrosa sufrida por el Perú en la guerra con Chile. Trata de galvanizar el decaído espíritu patrio con su verbo electrizante y mientras vive nunca dejará de espolear la conciencia peruana a la consideración de los arraigados problemas nacionales. Nacido en el seno de una familia católica y conservadora, nunca profesa la religión paterna y llega a ser librepensador y anticlerical vigoroso. Positivista que no acepta el determinismo, ve en el método científico el mejor modo —aunque imperfecto— de resolver los problemas de la humanidad. Hombre solitario y apartadizo, su código moral se basa en la mayor libertad posible para el individuo responsable, en quien apoya sus esperanzas para el porvenir del género humano. En política comienza como liberal algo ingenuo para terminar como anarquista humanitario y utópico. Reformador político y social, es también un hombre de una cultura amplísima, fruto de sus omnívoras lecturas y su dominio de las principales lenguas modernas. Aplica su criterio severo y penetrante a la realidad peruana e hispanoamericana y expresa sus juicios en artículos y ensayos mordaces, flagelantes, de un tono agresivo rara vez igualado en el español. Escritor de una sinceridad poco común, su lema podría resumirse en una de sus frases predilectas: "La verdad no conoce hora ni lugar fijos, ocasión adversa o propicia: se la enuncia cuando se la encuentra". Demoledor de lo que considera ser la herencia nociva del pasado, durante su vida es el escritor más genial de su país. Vivo, gana relativamente pocos discípulos en su Perú conservador, y es temido y denunciado por el gobierno, la aristocracia y el clero; muerto, sus libros le van agrandando y crecen sus admiradores. Sus incesantes ataques al colonialismo tardío en América, a todas las formas de la injusticia social, a las instituciones que se prestan a los privilegios inicuos —el Estado, la propiedad, el ejército—, no han perdido su actualidad, sino todo lo contrario. Y es el primero en llamar la atención sobre la necesidad de incorporar al indio a la estructura social de su país sobre una base de redención por la educación, el pleno ejercicio de sus derechos cívicos y la regeneración espiritual.

Uno de los tempranos cultivadores del ensayo en América, González Prada prefiere expresarse en una prosa activa, discursiva, didáctica. Desprecia la tradición castiza en el lenguaje de sus grandes coetáneos como Valera y Castelar y busca nuevos modos de expresión gráfica, tiesa y sucinta. Falta en su obra lo *personal;* en el conjunto de sus escritos en prosa hay sólo tres o cuatro en que se asoman sus afectos íntimos. Pero no se crea por esto que el tono didáctico predomina en su prosa. No expone sus ideas y nociones a manera de tratadista, rigurosamente ordenadas y sistematizadas, sino con un dinamismo y estilo flexible que faltan en los textos de enseñanza. La estética de González Prada es nueva en la historia de la prosa hispana. Más bien racional y objetiva que subjetiva o poética, encierra a la vez la excelencia y la debilidad de su obra de ensayista. Al ceñirse siempre a lo positivo, al insistir en que la ciencia, instrumento para resolver el complejo gris de la realidad, sólo da blanco y negro puros, gana su estilo en claridad y sus figuras se vuelven más plásticas. Al verter en ella la energía de sus hondas convicciones, su prosa gana en dinamismo. Pero pronto el lector echa de ver en sus asertos los matices e incertidumbres inevitables de la vida humana. En una palabra, simplifica demasiado la realidad. De aquí su talento para la caricatura; de aquí su singularidad entre la mayoría de los prosistas de su época; de aquí, también, la imposibilidad de situarlo en cualquiera de los movimientos literarios que le son contemporáneos. Dos volúmenes de sus prosas (discursos, artículos, ensayos) aparecen durante su vida: llevan títulos altamente simbólicos, *Pájinas libres* (1894) y *Horas de lucha* (1908) y forman el corazón de su obra. Después de su muerte se han publicado otros siete libros de prosas, gracias a la paciente labor editorial de su finado hijo Alfredo. El último de éstos, *El tonel de Diógenes* (1945), ostenta un título no menos apropiado que los de sus primeros libros.

LECTURAS: "La muerte y la vida". *Manuel González Prada. Antología* (México, 1945), págs. 161-171. * "Nuestros indios". *Horas de lucha* (Buenos Aires, 1946), págs. 198-214.

CRÍTICA: *González Prada: Vida y obra, bibliografía, antología.* New York: Instituto de las Españas en los Estados Unidos, 1938. Incluye estudios críticos de Jorge Mañach, Federico de Onís, Luis Alberto Sánchez y Arturo Torres Ríoseco. Mead, Robert G., Jr. "Manuel González Prada: Peruvian Judge of Spain". PMLA (New York), Septiembre 1953, págs. 696-715. Mead, Robert G., Jr. *González Prada: el pensador y el prosista.* New York: Instituto de las Españas en los Estados Unidos, 1955. Sánchez, Luis Alberto. *La literatura peruana.* Asunción: Editorial Guarania, 1950-1951, tomo VI, capítulos 3 y 4 y *passim.* Zea, Leopoldo. *Dos etapas del pensamiento en Hispanoamérica. Del romanticismo al positivismo*, págs. 232-239.

El filósofo y estadista cubano **JOSÉ ENRIQUE VARONA (1849-1933) tiene muchas semejanzas con Hostos y con Manuel González Prada. Pertenece a una generación de cubanos que se dedican a promover la independencia de su isla, y para quienes la literatura es un medio de rebelarse contra la dominación española. Este es el caso de Varona. Como Varela y Luz y Caballero en años anteriores, pronto llega a ser el jefe de la oposición intelectual; y continúa la obra reformista de aquéllos en la educación del país. Al recibir Cuba su libertad, Varona lleva a cabo una modernización de los sistemas educativos de su patria, que abarca desde la escuela primaria hasta la universidad. Aunque nunca es político profesional y jamás deja de expresar su opinión acerca de los problemas públicos, se le elige a la vicepresidencia de la república en 1913. Ingresa a la literatura como poeta prosaico que escribe odas clásicas o desarrolla temas patrióticos, y nunca deja de componer versos. Durante su juventud le interesan también la crítica y hasta la filología, y pudo haberse convertido en un crítico literario muy notable. Pero su primera gran hazaña es la serie de conferencias libres sobre filosofía que inicia en la Habana en 1880 y que constituye un acontecimiento en la historia intelectual de Cuba. Le valen estas conferencias nada menos que el puesto de director de las corrientes filosóficas cubanas de la época. Esta tendencia hacia la filosofía es la que ha de dominar en su obra, y es el primero entre sus compatriotas en hacer de ella un ejercicio riguroso y disciplinado.

Sus trabajos sistemáticos se reúnen en tres volúmenes, *Conferencias filosóficas*, publicados entre 1880 y 1888. Tratan de la lógica, de la psicología y de la moral, concebidas y desarrolladas bajo la influencia del positivismo francés y del empirismo inglés. Contienen no pocas páginas de conceptos originales a pesar de acomodarse a los sistemas europeos citados. Varona, como González Prada, se inclina a las ciencias, es agnóstico y cree en la posibilidad del hombre de mejorar su condición moral por sus propios esfuerzos.

El pensamiento y la obra de Varona se dividen claramente en dos períodos: el primero, caracterizado por un fondo de positivismo riguroso y sistemático, y el segundo, en el que su positivismo es reemplazado por un escepticismo y un pesimismo sinceramente sentidos, los cuales, sin embargo, no logran extinguir su robusta fe en la solidaridad humana y en su potencialidad de acción beneficiosa. Durante el primer período dicta cursos metódicos, compone ensayos relativamente largos y pronuncia conferencias en serie. Edita, además, la *Revista Cubana* (1885-1895), notable órgano intelectual. Se publican *Estudios literarios y filosóficos* en 1883 y *Artículos y discursos; literatura, política, sociología* en 1891. La prosa de este período es siempre clara en la expresión de las ideas, pero a veces es algo compacta y pesada. Las frases tienden a ser largas y cuidadosamente equilibradas, y los párrafos algunas veces pecan por su extensión. Las figuras imaginativas, aunque bastante numerosas, por lo general no se caracterizan por su valor poético y original. A partir de la cuarta década de su vida, cambia la prosa de Varona. Sus artículos y ensayos, aun sus conferencias, se acortan. Parece preferir la reflexión fragmentaria y encuentra que el aforismo es su mejor instrumento expresivo. Son las características de *Con el eslabón*, que tiene páginas de gran sutileza y hermosura. Entre los cortos ensayos recogidos en *Desde mi Belvedere* (1907), *Mirando en torno* y *Violetas y ortigas* hay una asombrosa variedad de temas desarrollados en una prosa ágil, dúctil y lírica que puede parangonarse con la mejor de lengua española.

LECTURAS: * "El sentimiento de solidaridad como fundamento de la moral", *La filosofía latinoamericana contemporánea* (Washington, 1949), págs. 27-40 "Aforismos", *Ibid.*, págs. 41-48.

CRÍTICA: Crawford, William Rex. *A Century of Latin American Thought*, págs. 220-227. *Homenaje a Enrique José Varona*. La Habana: Secretaría de Educación, 1935. Contiene una bibliografía crítica en las págs. 495-518. Vitier, Medardo. *Enrique José Varona: Su pensamiento representativo. Homenaje en el centenario de su nacimiento*. La Habana: Editorial Lex, 1949. Vitier, Medardo. *La filosofía en Cuba*. México: Fondo de Cultura Económica, 1948, págs. 140-168. Zea, Leopoldo. *Dos etapas del pensamiento en Hispanoamé-*

rica. Del romanticismo al positivismo, págs. 328-338; 343-346. Zum Felde, Alberto. *Índice crítico de la literatura hispanoamericana. El ensayo y la crítica*, págs. 232-239.

JUSTO SIERRA (1848-1912), mexicano formador y maestro de dos generaciones de sus compatriotas, es otro caso de hombre que se dedica enteramente a la realización de sus ideales y al servicio de la patria. Discípulo a su vez de Ignacio Altamirano, líder militante de la Reforma, la pasión de Sierra es la educación pública. Como Sarmiento y Varona, establece escuelas y en 1910 unifica y reestablece la Universidad Nacional Autónoma, a la que los liberales del siglo anterior habían disgregado en las varias facultades profesionales. Poeta además de educador, historiador, cuentista, tribuno y viajero, es sin duda una de las grandes figuras de las letras mexicanas en una época de gran brillo.

Nacido en la costa tropical del golfo mexicano, Sierra se educa en la capital, graduándose de abogado. Muy joven se revela poeta y pronto gana una reputación notable en los cenáculos literarios. Escribe sin descanso y publica artículos, versos y cuentos de estilo ameno en los periódicos y revistas de aquel período de entusiasmo y renacimiento. Se lanza también al periodismo político. Radical y jacobino como su maestro Altamirano, en los comienzos de su carrera, se transforma con el decurso de los años en un meditador de ideas profundas y expresión deliberada y discreta. Desempeña altísimos cargos en el gobierno: diputado, magistrado de la Suprema Corte, ministro de Instrucción Pública, ministro plenipotenciario en España y catedrático de historia en la Universidad. Enemigo del dogmatismo y amante de la belleza en sus múltiples manifestaciones, Justo Sierra es un platónico que nunca puede declararse partidario de ningún sistema teológico o filosófico. Conocedor del positivismo y consciente de sus méritos, distingue, sin embargo, los peligros que acarrea una propensión sistemática a sus principios.

La inspiración lírica de Sierra data de sus años juveniles, pero su aspecto literario es menor que el aspecto principal de educador y político. Es, sin embargo, un gran prosista, sobre todo en las cimas de su obra. Los relatos novelescos de sus primeros años de escritor se coleccionan, en 1896, con el título de *Cuentos románticos*. Genuinos poemas en prosa, como el mismo Sierra los llama, son de temas variados y estilo refinado. Revelan el amor que tiene por su tierra natal y su poder de evocar sus bellezas naturales y muestran, a la vez, sus lecturas extensas y su riqueza imaginativa. Otro ejemplo excelente de la prosa de la misma época es su "Prólogo" a las *Poesías* de Manuel Gutiérrez Nájera (1896), que revela su agudeza como crítico literario, su erudición enciclopédica y su lenguaje fino y ricamente expresivo. Cosa semejante puede afirmarse de otro prólogo, el que escribe para las *Peregrinaciones* de Rubén Darío (1901). Su discurso en honor del positivista mexicano don Gabino Barreda (1908), es un ataque ricamente metafórico al positivismo, una presentación genial de la crisis contemporánea del pensamiento científico y una exaltación elocuente de la duda como arma indispensable del conocimiento. El amor a la patria le lleva a cultivar la historia y nada sorprende saber que de ella hace una obra de arte. En sus libros históricos el pensamiento profundo y noble se expresa por medio de una prosa rica, rotunda, majestuosa y armoniosa. De sus obras históricas se destacan *México: su evolución social* (1900-1901), estudio magistral, y *Juárez, su obra y su tiempo* (1905), la mejor síntesis de la época reformista. Grande es el amor que le guarda su patria, y sus funerales son, en las palabras de un testigo, uno de los momentos más altos y puros en la vida espiritual de la nación.

LECTURAS: * "Prólogo a las poesías de Manuel Gutiérrez Nájera". *Justo Sierra. Prosas* (México, 1939), págs. 25-45. "México social y político" [fragmento]. *Ensayos* (México, 1948), págs. 126-151.

CRÍTICA: Caso, Antonio. "Prólogo". *Justo Sierra: prosas.* México: Imprenta Universitaria, 1939, págs. ix-xxi. Crawford, William Rex. *A Century of Latin American Thought,* págs. 251-252 y *passim.* Jiménez Rueda, Julio. "Don Justo Sierra, en el centenario de su nacimiento". *Revista Iberoamericana* (México), Junio 1948, págs. 13-21. Kress, Dorothy M. "Justo Sierra, precursor del modernismo". *Universidad* (México), Febrero 1937, págs. 9 ff. Sánchez, Luis Alberto. *Nueva historia de la literatura americana,* págs. 254-255 y *passim.* Zum Felde, Alberto. *Índice crítico de la literatura hispanoamericana. El ensayo y la crítica,* págs. 215-224.

El mayor entre los grandes polígrafos de esta generación es el cubano **JOSÉ MARTÍ (1853-1895). Dedica su vida y pensamiento a una sola meta —la libertad de su patria—, pero su obra y su mérito literario son de tal magnitud que por ellos pertenece a todo el mundo de habla española.

Hijo cubano de padre español, su familia es de las más humildes de su barrio de la Habana. La chispa que iluminará su vida nace de su contacto con el maestro Rafael María Mendive, poeta y patriota que pertenece al linaje espiritual de don José de la Luz y Caballero. Junto a Mendive, el joven José comprende que su misión será morir por la independencia de Cuba, y cuando tiene sólo dieciséis años compone estos versos proféticos, haciendo eco de la clásica máxima romana:

*¡Oh, qué dulce es morir, cuando se muere
luchando audaz por defender la patria!*

Y año por año se le va acercando la muerte. En 1870 sus actividades patrióticas, sobre todo sus escritos, le valen una pena de seis años de prisión; en 1871 es deportado a España, donde se gana una mísera vida dando clases particulares. En 1873 se traslada de Madrid a Zaragoza, y en año y medio de estudio intenso se gradúa de bachiller y licenciado en Derecho. A fines del 74 pasa a Francia para echar una mirada a París durante unas semanas. Y luego embarca en Southampton con destino a México, a donde llega en febrero de 1875. En México comienza su carrera de

periodista y, además, escribe versos, traduce, practica la
crónica teatral y de arte y participa en debates filosóficos.
Y desde México escribe por Cuba. La patria azteca es para
el joven cubano un lugar de aprendizaje, una palestra y una
fragua donde comienzan a consolidarse los contornos del
carácter martiano que ha de conocer la historia. Pasa luego a Guatemala, donde ejerce de profesor en la Escuela
Normal, y en el risueño país del quetzal crece su interés
por el futuro de América. Sus discursos apasionados le ga-
nan el nombre de "Doctor Torrente", pero en las páginas
que escribe hay un himno de amor a Guatemala. Una corta
estadía en Cuba (1878-1879), que coincide con el fracaso
del movimiento libertador que fué la Guerra de los Diez
Años, confirma en Martí la resolución de consagrar su vida
a la causa de la independencia cubana.

Su devoción a esta causa, expresada demasiado públi-
camente, y los necesarios arreglos secretos con sus correli-
gionarios, le obligan a abandonar la isla nuevamente. Se
establece en Nueva York (1881) y allí se ocupa en
tareas de periodista y traductor. Los catorce años de vida
que le quedan son un ensayo constante, caracterizado tanto por la elocuencia como por la paciencia que pone en la
organización de la nueva revolución cubana. Ignorante en
materia militar, logra persuadir a dos máximos jefes del
ejército para que encabecen la campaña libertadora. Y
cuando llega la hora de actuar, Martí se une a las filas patrióticas que están formándose en Cuba. Una bala española, el 19 de mayo de 1895, en la escaramuza de Dos Ríos,
pone fin a una de las vidas más puras y ejemplares que re-
gistran las páginas de la historia hispanoamericana.

Martí es un artista natural del lenguaje y hay una verdad inconsciente pero exacta en las primeras líneas impre-
sas que nacen de su pluma, escritas cuando no cumple aún
los dieciséis años: "Nunca supe yo lo que era público ni lo
que era escribir para él; mas a fe de diablo honrado, ase-
guro que ahora como antes nunca tuve miedo de hacerlo".
Pudiera haber añadido que el escribir era tan natural en

él como el latido del corazón. Cultiva casi todos los géneros: poesía, oratoria, teatro, epístola, ensayo, crónica, artículo periodístico, cuento y traduce, además, del inglés obras de variada índole. Excepto sus prosas juveniles y la mayor parte de sus poemas, nada de lo que escribe tiene otro fin que el de contribuir a la liberación de Cuba o a costear sus gastos diarios, lo cual en su caso significa la misma cosa. Vivir, escribir y actuar eran inseparables para Martí. Si su obra es periodismo y si sus escritos tienden a lo fragmentario, como afirman algunos de sus críticos, se puede responder que ningún otro periodista hispano ha alcanzado el valor estético de la prosa martiana y que la vida de Martí no le ha dado ni el tiempo ni el reposo necesarios para la composición de obras de larga gestación. No le falta la voluntad artística, sólo la oportunidad de darle rienda suelta a tal voluntad por largos períodos. Sus obras completas alcanzan 70 volúmenes y en ellos hay ejemplos de muchos géneros literarios y una multitud de temas: literatura, pintura, música, teatro, política, pedagogía, economía y jurisprudencia. El que conoce esta vasta obra no puede dejar de preguntarse, admirado, lo que Martí pudiera haber escrito si no hubiera muerto a los cuarenta y dos años.

Martí se expresa preferentemente en forma de ensayo o artículo periodístico, a tal punto que se ha calculado que sus escritos de este tipo constituyen el ochenta por ciento de su obra total. Su estilo se perfecciona lentamente hasta alcanzar su madurez cuando Martí tiene unos treinta años, y a partir de esta edad el polígrafo cubano no escribe una sola línea mezquina. Este estilo refleja también su vasta cultura, cosechada durante su vida presurosa en los mejores escritores hispánicos, franceses e ingleses. Martí sabe aprovechar sus lecturas de Santa Teresa, de Quevedo, de Gracián, de Saavedra Fajardo, etc., y de los maestros franceses, ingleses y norteamericanos, amalgamándolas para formar un abono que nutre su propio genio y produce un lenguaje elocuente y nuevo. Si citamos unas palabras suyas que caracterizan el estilo ideal según lo concibe él, veremos que no hacemos más que describir su propio estilo: lo que vale es "la expresión artística y sincera, breve y tallada, del sentimiento personal"; el escritor debe expresarse de modo que no "haya palabra vana... ni esa lengua de miriñaque, toda inflada y de pega... sino un modo de hablar ceñido al caso".

Su prosa (y sus versos, cabe añadir) es rítmica, pero de un ritmo constantemente variado; su vocabulario no admite voces pedantescas, y sólo acude a las palabras técnicas cuando son indispensables; en cambio se encuentran en su léxico algunos latinismos y galicismos y hasta voces indígenas; su sintaxis ostenta giros y construcciones inesperados, chispeantes, y combina las palabras a veces de modo poco común. El talento inventivo no tiene límites y en su lenguaje se nota una interacción variada de luces y colores. En fin, la prosa de los ensayos martianos suele ser poemática y centelleante, aforística y sentenciosa, y en ella transluce la presión de sus ideas y la esencial unidad de su pensamiento. Sus invenciones estilísticas no tienen en su vida la penetración que merecen, pero actualmente se le va reconociendo como el primer prosista de su tiempo y uno de los mayores genios de las letras hispanas. Su influjo en los escritores modernistas que le siguen es notable, y el mayor de ellos, Rubén Darío, le rinde temprano tributo en uno de sus primeros libros. En toda la obra excelsa de Martí se transparentan las cualidades humanas y morales de este hombre: su incesante interés por los hechos más minuciosos y los problemas más graves de "nuestra América"; su denuncia instintiva de la crueldad, el egoísmo y la falta de honradez; su valor, su ternura y su fe en el hombre y el universo, en "la música y la razón".

No cabe duda que se irá agigantando todavía más la figura de Martí mientras los ciudadanos de nuestro hemisferio vayamos reconociendo con mayor precisión la deuda que con él tenemos.

LECTURAS: "San Martín". *Obras escogidas* (Madrid, 1955), págs. 153-167. * "Madre América". *Ibid.*, págs. 1056-1098.

CRÍTICA: Anderson Imbert, Enrique. "La prosa poética de José Martí. A propósito de *Amistad Funesta*". *Estudios sobre escritores de América*, págs. 125-165. González, Manuel Pedro. *Fuentes para el estudio de José Martí. Ensayo de bibliografía clasificada.* La Habana, Publicaciones del Ministerio de Educación. 1950. Iduarte, Andrés. *Martí, escritor.* La Habana: Publicaciones del Ministerio de Educación, 1951. Mañach, Jorge. *Martí, el Apóstol.* Madrid: Espasa-Calpe, 1933. *Memoria del Congreso de Escritores Martianos.* La Habana: Comisión Nacional Organizadora de los Actos y Ediciones del Centenario, 1953. Peraza Sarausa, Fermín. *Bibliografía martiana. 1853-1953.* Edición del Centenario. La Habana: Comisión Nacional Organizadora de los Actos y Ediciones del Centenario, 1954.

Otro ensayista de importancia en esta generación, aunque en él quizá predomine el pensador sobre el artista, es el argentino *ALEJANDRO KORN (1860-1936), filósofo que tempranamente emprende la refutación del positivismo en las orillas del Río de la Plata.

Hijo de padres alemanes, pero argentino de nacimiento, Korn se gradúa a los veintidós años y en el curso de su larga vida ejerce su profesión médica y luego ocupa la cátedra de Anatomía y más tarde, debido a sus estudios filosóficos, la de Historia de la Filosofía en las Universidades de Buenos Aires y La Plata. Es además, durante algún tiempo, director de un hospital de alienados. Korn trae, entonces, esta triple preparación de médico, filósofo y psiquiatra a su vida docente y a su actuación literaria. Sus escritos tienen profunda influencia en su país natal, donde sosegadamente hace comentarios sobre las corrientes de ideas en educación, política, economía, ciencias y literatura. Hoy los mejores libros de Korn comienzan a conocerse por todo el continente. Su doctrina de los valores tiene reflejos en toda su obra, y se desprende de su ética: una vigorosa profundización de la conciencia en la pugna por la libertad en el hombre. Su filosofía idealista de la libertad creadora, semejante a la que se impone durante el modernismo, muestra la amplia difusión del antipositivismo a fines del siglo XIX.

Citamos, para dar una noción de la variedad de sus escritos, los títulos de algunos de los más notables: *Influencias filosóficas en la evolución nacional* (1912); *La libertad creadora* (1922); *Apuntes filosóficos* (1934); *Reforma universitaria* (1918-1936). Existe, además, en su obra un nutrido número de ensayos y artículos sobre ideas y conceptos literarios y científicos y sobre varios de los grandes pensadores sociales de los siglos xix y xx. En cuanto a su estilo de prosista, se puede afirmar que Korn organiza sus ideas cumplidamente, depura su lenguaje y se expresa casi siempre con agudeza, claridad y elegancia. Debe añadirse, también, que en la polémica es un maestro de la expresión irónica.

LECTURAS: * "El positivismo" [fragmento]. *Obras completas* (Buenos Aires, 1949), págs. 146-159. "El concepto de ciencia". *Ibíd.*, págs. 250-262.

CRÍTICA: Barja, César, "Alejandro Korn". *Revista Iberoamericana* (México), Noviembre 1940, págs. 359-382. Crawford, William Rex. *A Century of Latin American Thought,* págs. 142-148. *Cursos y conferencias* (Buenos Aires), Octubre-Noviembre 1946. Contiene cinco artículos sobre Korn con motivo del décimo aniversario de su muerte. Ferrater Mora, José. *Diccionario de filosofía,* págs. 524-525. Jesualdo [Sosa]. "Alejandro Korn". *17 educadores de América.* Montevideo: Ediciones Pueblos Unidos, 1945, págs. 283-298. Romero, Francisco. "Alejandro Korn". *Obras completas de Alejandro Korn.* Buenos Aires: Editorial Claridad, 1949, págs. 7-26.

Eminente en las letras colombianas y ensayista conocido en toda Hispanoamérica es *CARLOS ARTURO TORRES (1867-1911). Educador, político, periodista, crítico y poeta, su obra no es voluminosa —muere a los cuarenta y cuatro años— pero sí es densa. Visita Europa en misiones oficiales y pasa cerca de una década en Inglaterra, cuya literatura llega a conocer cabalmente. Su inclinación natural es hacia la enseñanza y el periodismo, y aun en el periodismo se observa su afán de educar. La obra maestra de Torres es su notable *Idola Fori* (1910), la que merece un comentario aparte. De publicación póstuma son las colecciones de sus escritos que se intitulan *Literatura de ideas* y *Estudios de crítica moderna* (1917). Antes había redactado sus valiosos *Estudios ingleses* (1909).

En *Idola Fori* Torres pretende destacar "aquellas cosas verdaderas o falsas que continúan imperando en el ambiente después de que una crítica racional ha demostrado su falsedad". Su libro es un análisis en el que aplica sus extensos conocimientos históricos y filosóficos a la tarea de criticar las ideas predominantes en la América de principios del siglo, para poner de manifiesto el efecto que ha tenido la transplantación de principios y sistemas europeos en esta parte del mundo. Combate, sobre todo, lo que podría llamarse las "supersticiones políticas" de los pueblos americanos. José Enrique Rodó elogió grandemente esta obra de Torres y el libro debe una parte de su popularidad al prólogo laudatorio que le puso el ensayista uruguayo.

La prosa de Torres, a pesar de las bellas páginas que escribe en sus mejores horas de periodista, no se caracteriza generalmente por las cualidades de la gracia o de la elegancia. Expone con la sobriedad científica que requieren los temas que desarrolla, y a su lenguaje castizo y severo no le falta precisión. Pero su estilo no se distingue por la riqueza verbal, ni la novedad y sutileza de la forma. Inclinado muy perceptiblemente al apostolado, de formación más bien positivista, Torres no posee ni la tolerancia ni la elasticidad espiritual necesarias para comprender a los que defienden opiniones opuestas a las suyas. Está seguro de la verdad de sus aseveraciones y suele recibir la contradicción con el porte de apóstol mal comprendido.

LECTURAS: "Hacia el futuro". *Idola fori* (vol. 9, Biblioteca Aldeana de Colombia. Bogotá, 1937), págs. 187-207. "En la cuna de Shakespeare". *Ensayistas Colombianos* (vol. 7, Colección Panamericana. Buenos Aires, 1946), págs. 393-437.

CRÍTICA: Abreu Gómez, Ermilo. Prólogo a *Carlos Arturo Torres: Hacia el futuro*. Washington: Unión Panamericana, 1949. Henríquez Ureña, Max. *Breve historia del modernismo*, págs. 319-320. Sanín Cano, Baldomero. *Letras colombianas*. México: Fondo de Cultura Económica, 1944, págs. 169-172. Torres, Paulina. *Carlos Arturo Torres, el hombre al través de su obra.* Bogotá: Editorial Lumen Christi, 1945. Vitier, Medardo. "Los ídolos del foro". *Del ensayo americano*, págs. 157-171. Zum Felde, Alberto. *Índice crítico de la literatura hispanoamericana. El ensayo y la crítica*, págs. 321-324.

VI

EL ENSAYO DURANTE EL MODERNISMO

Los escritores que florecen durante el movimiento llamado modernismo, que impera durante unos cinco lustros (1885-1910), son los que llevan a su más grande desarrollo las tendencias ya señaladas en los miembros de la generación del 80. El cosmopolitismo incipiente de éstos se vuelve maduro y vigoroso en aquéllos y el gusto romántico pasa definitivamente de moda. El término *modernismo* es empleado desde muy temprano para señalar este movimiento de renovación literaria en Hispanoamérica, que más tarde se extiende a España.

El marco histórico también es propicio al desenvolvimiento del modernismo. El período de expansión capitalista y de progreso técnico e industrial que sobreviene hacia el 80 ha llegado a un gran desarrollo, y hace posible ahora un ambiente de estabilidad, ocio y riqueza para las clases superiores. Las personas ilustradas, libres por el momento de sus preocupaciones políticas, meditan sobre el creciente poderío material de los Estados Unidos y la amenaza que representa para la América hispana, o dedican su asueto a cultivar los aspectos estéticos de la vida. Es un período de nacionalismo en política, pero el modernismo en aumento puede permitirse el lujo de pasar por alto este nacionalismo, y fomentar su movimiento esencialmente internacionalista, nutrido por la herencia española, la tutela literaria de Francia y el influjo artístico e intelectual de algunos otros países.

Como consecuencia de estos factores se inaugura en la comunidad nacional hispanoamericana una concepción nueva y cosmopolita de la vida y de la cultura.

En la última mitad del siglo XIX se desarrollan en varios de los países europeos diversas tendencias renovadoras o revolucionarias en arte y literatura. Estos movimientos son independientes y tienen sus nombres propios: parnasianismo, prerrafaelismo, simbolismo, impresionismo, etc. Sería un grave equívoco suponer que equivalen en conjunto a un intento común de los artistas y escritores de basarse en una misma doctrina estética. Pero es cierto que el modernismo que se desenvuelve en la América española obedece a tendencias similares a las que se manifiestan primero en la literatura europea, y en especial la de Francia. Este país, que había dado a Esteban Echeverría la llave para entrar en el romanticismo, también señala a los iniciadores modernistas el camino para salir de él. En el parnasianismo francés se exalta el culto de la forma y en el simbolismo se renuevan el ideario poético, los modos de expresión y la técnica del verso. Semejantes características se observan en el modernismo americano, no sólo en la poesía sino también en la prosa.

El modernismo, en sus principios, es negativo: es una reacción contra los excesos del romanticismo, que en su tiempo fué a su vez una reacción contra las limitaciones y el criterio estrecho del retoricismo neoclásico. El modernismo rechaza todas las normas que no concuerdan con su anhelo renovador, todo lo que caracteriza la antigua grandilocuencia *castiza* que domina en las letras españolas del momento. Destruir la frase hecha, el lugar común en la forma, la perogrullada en la idea. Olvidar los viejos cánones, evitar las expresiones vulgares: en fin, el escritor modernista había de proceder con entera autonomía. Esta libertad de acción imposibilita la formación de una escuela modernista y, por lo tanto, faltan en el movimiento el afán de dirigir y la manía discipular. Es tan amplia la naturaleza del modernismo que, además de las características ya señaladas, caben en él hasta ecos del realismo y naturalismo franceses, vestigios del gongorismo español y lo mejor del hondo lirismo y la sonoridad verbal del impugnado romanticismo. En la prosa, que es lo que nos interesa aquí, el modernismo origina una renovación: aquélla se hace más ágil y sus ritmos más ricos y variados. El vocabulario crece y aumenta el número de voces exóticas o raras. El escritor se convierte en un apasionado perfeccionista en su estilo y elabora su lenguaje con la pulcritud del orfebre y el talento rítmico del compositor musical. La mayor y más novedosa contribución del modernismo al ensayo hispanoamericano es lo que distingue el estilo intelectual de sus cultivadores: la actitud estética ante la vida.

Como la orientación filosófica del modernismo es antipositivista, puede decirse también que la difusión del movimiento entre los letrados de Hispanoamérica, por medio de numerosos periódicos y revistas literarias, efectúa algo así como una espiritualización de la prosa de ideas. A la vez inicia un movimiento filosófico espiritualista y antideterminista que ha llegado a nuestros días. Como apunta Enrique Anderson Imbert: "La estética del modernismo implicaba un repudio a la teoría mecánica de la vida. El arte era un refugio, una fe, una liberación donde nada se repetía, donde nada era explicable con la lógica del físico". En el ensayo, forma expresiva predilecta de la prosa de ideas, el modernismo contribuye a la ampliación de la temática de los escritores, al perfeccionamiento, enriquecimiento y poetización de su estilo y a la acentuación de las tendencias hacia lo estético, lo filosófico y, más tarde, hacia lo social.

Un ejemplo genial de prosista del modernismo es *RUBÉN DARÍO (1867-1916), nicaragüense, quien además de cultivar magistralmente el verso, es artista cumplido en sus cuentos, poemas en prosa y ensayos. Contribuye poderosamente a la transformación de la prosa castellana, continuando las tendencias renovadoras ya recalcadas en Martí. De todos los grandes prosistas de comienzos del modernismo, Darío es el que tiene mayor número de imitadores y discípulos y su influjo es el que abarca un ámbito más amplio. Espíritu exquisito y sensible, asiduo lector cosmopolita, escritor interesado en dar una nueva orientación estética a la poesía y prosa castellanas, Rubén Darío inicia su apogeo en Buenos Aires, donde reside desde 1893 a 1898. Rodeado de poetas y prosistas argentinos impregnados como él de ánimo renovador, vive en estos años su época de más intensa actividad. En 1896 reúne una serie de sus artículos y ensayos sobre las figuras literarias europeas y americanas que le han atraído y hacia las cuales siente predilección. Publica el libro intitulado *Los raros*. En esta retahíla de semblanzas literarias no todos los autores son raros, pues se incluye a Ibsen, por ejemplo, pero también aparecen los nombres de escritores que merecen mejor el epíteto: Leconte de Lisle, Villiers de l'Isle Adam, Verlaine, León Bloy, Moréas, Martí, Poe, el Conde de Lautréamont, etc. *Los raros* y los otros volúmenes de su prosa no narrativa que le siguen, *Peregrinaciones* (1901), *La caravana pasa* (1902), *Tierras solares* (1904), gozan de popularidad entre los intelectuales de vanguardia de la época y su influencia temática y estilística es notable. La prosa de Darío en esta obra es forzosamente ocasional y fragmentaria, pero es también rítmica, rica en imágenes y figuras poéticas y siempre triunfa sobre la expresión ordinaria o el modismo vulgar.

LECTURAS: "José Martí". *Los raros. Cabezas* (Madrid, 1945), págs. 262-275. "El modernismo". *España contemporánea* (París, 1921), págs. 311-317.

CRÍTICA: Abreu Gómez, Ermilo. *Rubén Darío. Crítico literario*. Washington: Unión Panamericana, 1951, Prólogo, págs. 11-16. Anderson Imbert, Enrique. *Historia de la literatura hispanoamericana*, pág. 216 y *passim*. Crispo Acosta, Osvaldo ("Lauxar"). *Rubén Darío y José Enrique Rodó*. Montevideo: Mosca Hmnos., 1945. Lida, Raimundo. *Cuentos completos de Rubén Darío*. México: Fondo de Cultura Económica, 1950, Prólogo, págs. vi-lxxii. Excelente estudio de la prosa de Darío. Torre, Antonio M. de la, "Consideraciones sobre la actitud político-social de Rubén Darío". *Revista Iberoamericana* (México), Septiembre 1954, págs. 261-272.

**JOSÉ ENRIQUE RODÓ (1871-1917), uruguayo, es

el pensador modernista que mejor logra fusionar la literatura con el nuevo espiritualismo. Es, además, uno de los más eminentes prosistas —si no el primero— con que cuenta el movimiento. Hacia 1895, el joven escritor publica sus críticas iniciales en la *Revista Nacional de Literatura y Ciencias Sociales* (de la cual es fundador y codirector) y se revelan así su fuerte personalidad, equilibrio intelectual y temprana madurez. Las virtudes formales de su estilo son las que atañen a tan singular combinación de atributos. Rodó se ha formado en una cultura humanística, lector devoto de los clásicos griegos, romanos y modernos. De esta formación humanística ha recibido una inteligencia penetrante e inquieta y la aspiración de exaltar el espíritu. De sus lecturas filosóficas de Comte, Spencer, Renan (su autor preferido) y Guyau aprende lo que es el positivismo y, a la vez, se sirve de ellas para reforzar su concepción del espíritu, libre, proteico, creador. En sus escritos se descubren más de una vez lúcidos y admirables exámenes de la crisis del positivismo. Pero Rodó sabe siempre rechazar el radicalismo, la intolerancia y el exagerado antitradicionalismo que proponen algunos tempranos modernistas, y desde su juventud desarrolla lo que viene a ser una de las características centrales de su personalidad, o sea su tendencia de asumir una posición ecléctica, ecuánime, conciliadora y equilibrada.

Fuera de su actividad principal de escritor, Rodó también transporta su idealismo a las aulas universitarias, pues es profesor de literatura en la Universidad de Montevideo de 1898 a 1902. Se le confía la dirección de la Biblioteca Nacional en 1900. Y durante seis años (1902-1905, 1908-1911) es diputado al Congreso uruguayo, donde lleva a cabo una labor fecunda y útil. En las pugnas divisionistas de su Partido Colorado, Rodó naturalmente se acoge a la tendencia moderada hasta que, con el transcurso del tiempo, se aleja de la política activa. En 1910 el gobierno le nombra representante del Uruguay en la conmemoración del Centenario de la Independencia de Chile. Su segunda salida del país ocurre en 1916, cuando acepta la oferta de un semanario argentino de enviarle como corresponsal libre a Europa. Realiza así uno de sus más grandes anhelos: visitar otras tierras, conocer otros cielos. No lo ha podido hacer antes por falta de medios materiales. Pasa rápidamente por España, camino a Italia. Desde las más notables ciudades italianas despacha sus crónicas de viajero y en una de aquéllas, Palermo, le sorprende la muerte. Desaparece el 1 de mayo de 1917, víctima de una súbita infección tísica. En su vida y en su obra, como se ha visto, Rodó ha sabido concebir y exponer el más generoso idealismo y, además, llevarlo vigorosamente a la práctica, convirtiéndose así en una gran fuerza moral en la formación de la juventud de Hispanoamérica.

Numerosas y muy diversas han sido las interpretaciones del primer gran libro de José Enrique Rodó, *Ariel*, puplicado en 1900. Se compone el ensayo (tiene apenas 90 páginas) del discurso dirigido por el maestro Próspero a sus alumnos al finalizar el curso anual. En la primera parte se exalta la personalidad íntegra del hombre; en la segunda se defiende las minorías selectas y las jerarquías intelectuales contra la propensión niveladora y mesocrática de la democracia moderna; en la tercera se hace uno de los exámenes más penetrantes que se conocen de los defectos de la cultura norteamericana. En los extremos de la crítica arielista hay dos visiones distintas: *Ariel* es una defensa de la América hispana contra la América anglosajona, una obra política y antiimperialista; o, visto de otro modo, *Ariel* es la afirmación de la superioridad del "espiritualismo" hispanoamericano sobre el positivismo y el progreso puramente técnico de los Estados Unidos. Ahora bien, no cabe duda que el libro de Rodó demuestra su preocupación por los efectos del creciente imperialismo norteamericano de la época y, a la vez, se manifiesta en la obra su neohumanismo, su anhelo de restituir el culto del idealismo que caracterizaba la destronada tradición renacentista. Los más agudos estudiosos de Rodó, sin embargo, han recalcado el peligro de las

interpretaciones únicas y exclusivas de *Ariel*. Hay que tomar las aseveraciones del ensayo de un modo más general,
menos limitado. Aunque señala la civilización norteamericana como un ejemplo de su tesis, debe recordarse que no
es ella el tema del libro. Su propósito es moral: indicar
no sólo las deficiencias norteamericanas, sino también las
faltas de Hispanoamérica y, por ende, proponer su visión
idealista de América como la "magna patria", el continente
de naciones vinculadas armoniosamente —como nunca antes en la historia humana— por los lazos de la tradición,
de la raza, de las instituciones y del idioma. Parece innecesario agregar que esta noble visión se refiere a una América que haya sabido reconciliar las conquistas técnicas y
científicas del siglo XIX con la renovación humanística tan
fervorosamente recomendada por el magno ensayista.

Su obra maestra, *Motivos de Proteo* (escrita de 1904 a
1907 y publicada en 1909), contribuye a aumentar el influjo francés en el modernismo y logra la hazaña de ligar
la noción filosófica de Bergson, o sea la *evolución creadora*,
con el ideal de una regla de acción para la vida. "Reformarse es vivir", reza la primera sentencia del largo ensayo,
y esto para Rodó significa que el hombre no es único, sino
muchos, a lo largo de su vida. Somos proteicos, es decir,
que estamos en una evolución constante; y Rodó busca la
manera de dirigir esta evolución de modo que obre el individuo en una trayectoria que corresponda a su destino. Primero, hay que conocerse a sí mismo para encontrar la
verdadera y propia vocación en la vida, una vocación que
radica en lo más profundo del espíritu humano. Luego, según Rodó, el individuo, mediante la voluntad, debe desenvolver sus potencias y facultades, de manera regular, armónica y ordenada, y desarrollar así su propia evolución. En
fin, la norma propuesta en el libro es la persistencia de la
educación mientras viva el hombre. Implícito en sus ideas
acerca de la educación (eco del arielismo), está el miedo
al peligro de deformar el alma con las especializaciones excluyentes. El hombre que no toma la iniciativa en su propia

transformación pierde su personalidad, su individualidad, en el mundo material.

Motivos de Proteo es un ensayo de profundidad filosófica y asimismo es la obra en que el estilo de Rodó llega a su más genuino y característico esplendor. El aspecto del libro es el de un mosaico, pues se compone de fragmentos. Pero le da unidad el raciocinio consistente, la dialéctica de Rodó al exponer constantemente su *leitmotiv*, "reformarse es vivir". Emplea moldes de prosa muy variados: el poema en prosa, la anécdota, la especulación teórica, el análisis y, sobre todo, la parábola. Es maestro incomparable de esta última forma, y en sus magníficas parábolas o alegorías reside gran parte del atractivo estilístico del largo ensayo, porque junto a páginas de la más perfecta prosa poética hay otras que, a pesar del anhelo perfeccionista, parnasiano, del autor, resultan marmóreas y monótonas para el lector.

En *El mirador de Próspero* (1913) y en los volúmenes póstumos que recogen sus ensayos y artículos dispersos, *El camino de Paros* (1918), *Nuevos motivos de Proteo* (1927) y *Los últimos motivos de Proteo* (1932), Rodó continúa en general trabajando la vena que ha explotado en *Motivos de Proteo*, pero la naturaleza de estas obras, fragmentaria y de índole variada, le quita gran parte de la unidad y la homogeneidad de sus primeros libros. Carecen además del pulimento que, de haber vivido más tiempo, sin duda les habría dado su autor. El valor principal de *El mirador de Próspero* consiste en la excelencia de la crítica literaria de Rodó, que en sus análisis eclécticos se apoya en los maestros franceses como Taine y Saint-Beuve, sin llegar a ser positivista cerrado. *El camino de Paros* es algo así como el diario de su último viaje, ese anhelado peregrinaje estético a la Europa de sus sueños. De sus bellas páginas emana fuertemente la intención, que era fortísima en Rodó, de enseñar deleitando.

Muere José Enrique Rodó aun joven —tiene cuarenta y cinco años—, pero recuérdese que su madurez es temprana y que poco cambian sus ideales una vez enunciados. Pudiera haber escrito más, mucho más, pero consumó su misión ya que ha dejado su mensaje a la posteridad. Ningún escritor desea otra cosa ni le es posible realizar más que esto.

LECTURAS: "Ariel" [fragmento]. *Obras completas* (Buenos Aires, 1948). págs. 196-207. * "Reformarse es vivir" [fragmentos]. *Ibid.*, págs. 409-418.

CRÍTICA: Barbagelata, Hugo D., compilador. *Rodó y sus críticos.* París: Agencia General de Librería, 1920. Contiene 17 artículos críticos por sendos autores. Ferrándiz Alborz, F. "José Enrique Rodó y el nuevo estilo americano". *Cuadernos Americanos* (México), Marzo-Abril 1955, págs. 206-227. *Homenaje a Rodó.* En *Nosotros* (Buenos Aires), Mayo 1917, págs. 5-228. Contiene 36 artículos críticos por sendos autores. Pérez Petit, Víctor. *Rodó. Su vida. Su obra.* Montevideo: G. García y Cía., 193-? Contiene una extensa bibliografía en las págs. 495-503. Zaldumbide, Gonzalo. *Montalvo y Rodó,* págs. 92-282. Zum Felde, Alberto. *Proceso Intelectual del Uruguay.* Montevideo: Editorial Claridad, 1941, págs. 223-250.

Otro gran prosista del modernismo, más conocido como novelista pero buen ensayista también, es el venezolano *MANUEL DÍAZ RODRÍGUEZ (1868-1927). No es prolífico, pues pertenece a una familia acomodada y así puede cultivar a gusto, con todo esmero y pausadamente, su innato talento literario. Aprende medicina, pero casi no ejerce la profesión y prefiere pasar muchos años viajando por Europa. Más tarde actúa en la política nacional y es, además, ministro venezolano en Italia. La obra de Díaz Rodríguez refleja bastante bien su propia personalidad: esteticista, impresionista, siempre en pugna con el medio ambiente venezolano, un alma constantemente en busca de sensaciones exquisitas y nuevas; en fin, un aristócrata, un hombre culto y distinguido, incapaz de adaptarse a la realidad bárbara y cruda que es la vida diaria en su patria.

Entre sus ensayos merecen destacarse algunos de valor excepcional. Publica *Sensaciones de viaje* en 1896, libro que pronto establece su reputación de estilista. Un año más tarde aparece un libro de cuentos y confidencias líricas, *Confidencias de Psiquis. De mis romerías,* publicado en 1898, continúa la vena de evocaciones íntimas nacidas de sus viajes. Pasa entonces una década en la cual Díaz Rodríguez escribe dos novelas y trabaja en perfeccionar su estilo. Gana éste en riqueza y esplendor y pierde el excesivo adorno que lo distingue en sus primeros libros. *Camino de perfección* (1908) atestigua la nueva prosa elegante, precisa y firme, y contiene varios ensayos que nos muestran al autor como un pensador situado dentro del modernismo, que recuerda a Rodó por su orientación humanística, su viva defensa del espiritualismo y sus admirables figuras imaginativas. En este libro aparece su escrito poético y sucinto, "Paréntesis modernista o ligero ensayo sobre el modernismo", en el que caracteriza tan bien este movimiento. Obras también de gran prosista y pensador son *Sermones líricos* (1918), colección de discursos en su mayor parte, y *Motivos de meditación* (1918), escrita durante la primera guerra mundial para abogar por "una Hispano-América una".

LECTURAS: "Roma" *Sensaciones de viaje* (Caracas, 1954), págs. 44-69. "Paréntesis modernista o ligero ensayo sobre el modernismo". *Camino de perfección* (Caracas, 1954), págs. 67-81.

CRÍTICA: Anderson Imbert, Enrique. *Historia de la literatura hispanoamericana*, págs. 239-240. Blanco Fombona, Rufino. *Letras y letrados de Hispanoamérica*. París: Ollendorff, 1908, págs. 233-235. Henríquez Ureña, Max. *Breve historia del modernismo*, págs. 287-288. Monguió, Luis. "Manuel Díaz Rodríguez y el conflicto entre lo práctico y lo ideal". *Revista Iberoamericana* (México), Junio 1946, págs. 49-54.

Uno de los ensayistas del modernismo que se destaca como colaborador en la literatura periodística de la época es el guatemalteco *ENRIQUE GÓMEZ CARRILLO (1873-1927). Inicia muy joven su carrera literaria, y cuando tiene sólo 17 años sus "ensayos prometedores", publicados en los periódicos de la capital, impresionan a Rubén Darío, entonces director de *El Correo de la Tarde* de Guatemala. Como modernista, Gómez Carrillo manifiesta el cosmopolitismo usual y desde su mocedad es entusiasta lector y divulgador de las literaturas europeas contemporáneas, sobre todo la francesa. Su criterio de crítico literario y estilista en prosa se funda en el cuidadoso perfeccionamiento del estilo, la originalidad y el superior refinamiento del gusto. Enviado a Europa con pensión gubernamental, visita Madrid y París, ciudad a la que regresa después de una corta estadía en su patria. Ahí pasa el resto de sus años, frecuentando el gran mundo literario y cultivando la vida bohemia. Entre lo más granado de su obra ensayística están *Esquisses* (1892); *Sensaciones de arte* (1893); *Literatura extranjera* (¿1893?); *Almas y cerebros* (1895); *Grecia* (1907); varias crónicas de viaje y su obra trunca, *Treinta años de mi vida*.

Gómez Carrillo es uno de los primeros en Hispanoamérica (si no el iniciador) que cultivan la crónica, forma literaria que se populariza mucho entre los prosistas del modernismo, dando origen a toda una serie de obras y opúsculos. La prosa de Gómez Carrillo, sea la de sus libros o la de sus numerosas crónicas aparecidas en los periódicos y revistas americanos, es leve, graciosa, armoniosa y seductora. Produce la impresión de ser descuidada, escrita al vuelo, cuando, en verdad, el ensayista guatemalteco tiene su propio ritmo natural, en el que alternan períodos largos y cortos que producen un efecto musical. En cuanto al contenido de su prosa, sorprende la riqueza y variedad de ideas y la amplitud de su información. Gómez Carrillo, en fin, es uno de los modernistas que merecen una revaloración crítica, pues, hasta ahora, puede afirmarse que ninguno de sus comentaristas le ha hecho entera justicia.

LECTURAS: "María Bashkirtseff". *Enrique Gómez Carrillo*: *Walt Whitman y otras crónicas* (Washington, 1950), págs. 39-47. "El teatro de Pierrot". *Ibid.*, 51-56.

CRÍTICA: Abreu Gómez, Ermilo. Prólogo a *Enrique Gómez Carrillo. Whitman y otras crónicas*. Washington: Unión Panamericana, 1954, págs. 11-17. Blanco-Fombona, Rufino. *Letras y letrados de Hispanoamérica*. París: Sociedad de Ediciones Literarias y Artísticas, 1908, págs. 91-101. García Calderón, Ventura. *Semblanzas de América*. Madrid: La Revista Hispano-Americana *Cervantes*, 1920, págs. 127-140. Henríquez Ureña, Max. *Breve historia del modernismo*, págs. 382-390. Mendoza, Juan Manuel. *Enrique Gómez Carrillo; estudio crítico-biográfico; su vida, su obra y su época*. Guatemala:

Unión Tipo;ráfica, Muñoz Plaza y Cía., 1940, 2 vols. Rodríguez Serna, José. "Referencias de Gómez Carrillo". *Revista de Guatemala,* enero-marzo 1946, págs. 120-130.

No todos los que cultivan el ensayo durante el dominio del modernismo logran el éxito estético de los prosistas citados en lo que va del presente capítulo, ni alcanzan un estilo elegante y armonioso. Pero su intervención e influencia en las letras hispanoamericanas han sido importantes muchas veces, sea por su crítica orientadora, su vulgarización de las ideas europeas contemporáneas o su importante labor editorial. Este es el caso del venezolano *RUFINO BLANCO FOMBONA (1874-1944), uno de los mayores polemistas del continente y gran cultivador de la diatriba.

La naturaleza violenta y apasionada de Blanco Fombona se manifiesta desde su primera juventud. De familia patricia, se educa en la Academia Militar nacional y participa en las agitaciones estudiantiles contra el gobierno. Pasa a Europa para ocupar un cargo diplomático; regresa a Venezuela; pronto emigra por razones políticas y vive primero en Nueva York, luego en Santo Domingo. En 1899 publica su primer folleto de combate, catilinaria política contra *Ignacio Andrade y su gobierno.* Antes ha sido el primero en introducir la nota modernista en la poesía nativa, pero andando el tiempo su prosa eclipsará sus versos. De nuevo en Europa (1901-1905), frecuenta los medios literarios y redacta sus inflamados panfletos y sus obras ensayísticas. Entre 1905 y 1910 ocupa cargos oficiales en su patria, pero en este último año otra vez emprende el retorno a Europa, donde se quedará por tres décadas. En París se dedica a escribir sus propios libros y edita también las cartas de Bolívar y las obras de otros grandes autores hispanoamericanos. Funda en Madrid en 1914 la casa editorial "América", la cual realiza una gran difusión de las mejores obras de la historia y la cultura del continente, no sólo entre los españoles sino también entre los mismos iberoamericanos. Durante la segunda República española, Blanco Fombona participa activamente en la política y es amigo personal del presidente Manuel Azaña. A la caída del tirano general Juan Vicente Gómez vuelve a su patria, ya algo quebrantado de salud y muere en Buenos Aires a fines de 1944, durante un viaje por varios países sudamericanos.

Sus obras en prosa son numerosas y variadas: es cuentista, novelista, cronista, crítico, historiador, ensayista y polemista político. De la parte ensayística de su producción pueden mencionarse *Letras y letrados de Hispanoamérica* (1908) ; *La lámpara de Aladino* (1915) ; *Grandes escritores de América* (1917) ; *El conquistador español del siglo XVI* (1922) ; *El modernismo y los poetas modernistas* (1929) ; *La espada del samuray* (1930) ; *El espejo de tres faces* (1937) ; *Mocedades de Bolívar* (1942) y *El espíritu de Bolívar* (1943). Si su estilo carece del pulimento y el esteticismo modernistas, ostenta en cambio la violencia y el vigor, el acento pasional, de un prosista que convierte su pluma en espada para atacar o defender siempre. Escribe con premura, piensa espontánea e intuitivamente, pero casi nunca le falta algo interesante que comunicar al lector. Entre otros de los valores de Blanco Fombona están los que siguen: como crítico se ha dedicado a enjuiciar (no pocas veces arbitrariamente) a escritores de *toda* la América, dando así a sus conceptos un horizonte supranacional y contribuyendo a divulgar las contribuciones de los grandes constructores del espíritu y la cultura continentales; como uno de los primeros comentaristas del modernismo a la manera de Rubén Darío. le es dable valorar el nuevo movimiento desde el punto de vista de un letrado formado en el positivismo y que comparte sus tendencias deterministas y antimetafísicas: como autor que se aparta de la orfebrería y el cosmopolitismo introducidos por el modernismo para adoptar modos y asuntos americanos (cuando no nacionales), más sencillos y robustos, le toca inaugurar el criollismo poético.

LECTURAS: "El conquistador español del siglo XVI" [fragmento]. *Anthology of Spanish American Literature* (New York, 1946), págs. 618-621. "Aparición y papel histórico de González Prada". *Grandes escritores de América* (Madrid, 1917), págs. 293-303.

CRÍTICA: Carmona Nenclares, Francisco. *Vida y literatura de Rufino Blanco-Fombona*. Madrid: Editorial Mundo Latino, 1928. Cestero, Tulio M. "Rufino Blanco Fombona". *Atenea* (Concepción, Chile), Mayo 1945, págs. 86-104. García Hernández, Manuel. *Literatura venezolana contemporánea*. Buenos Aires: Ediciones Argentinas, 1945, págs. 51-64. González y Contreras, Gilberto. *Radiografía y disección de Rufino Blanco-Fombona*. La Habana: Editorial Lex, 1944. Henríquez Ureña, Max. *Breve historia del modernismo*, págs. 289-296.

Bastante similar a Blanco Fombona en su polifacetismo es el argentino *JOSÉ INGENIEROS (1877-1925), expositor vigoroso de ideas, incansable polemista y escritor siempre al margen de la literatura. Al principio de su carrera, no obstante, le atrae el modernismo y en su obra temprana, *Crónicas de viaje* (1909), se manifiesta el intento de cultivar las bellas letras. Pero a pesar de su empeño de seguir el ejemplo de Rodó, pocas veces alcanza un estilo elegante y armonioso. El mérito de Ingenieros se debe principalmente al lugar que ocupa en el desarrollo de las ideas filosóficas en América y a su influencia notable en los grupos literarios bonaerenses de la época.

Hijo de un profesor y periodista italiano emigrado a la Argentina, Ingenieros es todavía niño cuando emprende su inicación intelectual en la biblioteca paterna. Sus ávidas lecturas se polarizan hacia el materialismo científico y la sociología revolucionaria. En sus años juveniles es un ardiente anarcosindicalista y enérgico campeón del movimiento obrero, pero en 1903 se aparta de estas actividades para dedicarse principalmente a la cátedra. La tendencia científica ha vencido a la socialista. Y en las dos décadas de vida que le quedan se consagra a una multitud casi increíble de trabajos: además de profesor es conferencista, psiquiatra, director de revistas, polemista; militante en varias ocasiones en movimientos estudiantiles y obreros, y animador de cenáculos literarios. Es, en verdad, la figura central de la vida intelectual de su país. Y no es la menor de sus contribuciones la vasta *Biblioteca de Cultura Argentina* que publica a partir de 1915. En esta serie de más de cien volúmenes edita y reedita lo mejor que han producido las letras argentinas, en todos los géneros, desde la liberación hasta sus días. Ingenieros es el autor de la mayoría de los prólogos que preceden los textos de la *Biblioteca*.

Su orientación filosófica —que influye marcadamente en las corrientes intelectuales argentinas— está cimentada sobre un amplio cientificismo más bien que sobre el positivismo. El conocimiento empírico es la base del progreso; la biología es la base de la psicología y sobre la psicología se constituyen todas las disciplinas culturales. Ingenieros, consciente de la caducidad del positivismo, continúa no obstante la voluntad de estudio, la tendencia renovadora, el deseo de libertad, de justicia y la fe en la razón humana que tanto honraron al movimiento nacido de las ideas de Augusto Comte. Nada sorprende, pues, el hecho de que su análisis de la evolución histórica (universal y nacional) sea determinista, biológico-económico, ni que coincida en la mayor parte con el materialismo dialéctico de Marx.

Las numerosas obras de Ingenieros ejemplifican, en general, esta disposición ideológica. Entre sus escritos más conocidos en los varios campos que cultiva (psicología, sociología, ética y política, filosofía) merecen señalarse *Principios de psicología biológica; Criminología; Sociología argentina; El hombre mediocre; Proposiciones relativas al porvenir de la filosofía* (las tres últimas de 1918) ; *Las doctrinas sicológicas de Alberdi* (1920) ; *La evolución de las ideas argentinas* (1918-1920) ; *Los tiempos nuevos* (1921). En este último libro Ingenieros celebra la revolución rusa y declara su adhesión a los principios doctrinarios socialistas. Pero su posición política sigue siendo, como siempre, moderada, de programa mínimo, liberal más que radical.

En suma, este dinámico escritor, tanto por la sinceridad de sus convicciones, su apasionada militancia y su prestigio e influencia como por las ideas que encierran sus libros, ha sido uno de los principales conductores del ensayo hispanoamericano del siglo actual.

LECTURAS: "La generación del año XXXV". *La evolución de las ideas argentinas* (Buenos Aires, 1951), II, págs. 391-406. "La aristocracia del mérito". *El hombre mediocre* (Buenos Aires, 1918), págs. 193-199.

CRÍTICA: Bagú, Sergio. *Vida ejemplar de José Ingenieros, juventud y plenitud*. Buenos Aires: Editorial Claridad, 1936. Bermann, Gregorio. *José Ingenieros, el civilizador-el filósofo-el moralista-lo que le debe nuestra generación*. Buenos Aires: Editorial M. Gleizer, 1926. Crawford, William Rex. *A Century of Latin American Thought*, págs. 116-142. Delgado, Honorio. "José Ingenieros". *Nosotros* (Buenos Aires), Abril 1926, págs. 317-340. *Homenaje a Ingenieros*. En *Revista de Filosofía* (Buenos Aires), Enero 1926. Número entero dedicado a Ingenieros. Zum Felde, Alberto. *Índice crítico de la literatura hispanoamericana. El ensayo y la crítica*, págs. 251-269.

De casi la misma edad que Ingenieros es otro ensayista argentino: *MANUEL UGARTE (1878-1951)*. Comparte con aquél sus actividades en la propagación de las ideas socialistas y a la vez descubre un temprano talento poético, dentro de la corriente modernista. Como tantos escritores de la época, cultiva varios géneros literarios: el verso, el cuento, la crítica, el periodismo y el ensayo. Reside en París durante una parte de su niñez y en esa capital, después de 1900, pasa largos años. En su formación intelectual, pues, domina el influjo de las letras francesas. Variada es la obra ensayística que produce durante su vida en Francia y entre los títulos que se destacan se encuentran *Crónicas del bulevar* (1903); *Visiones de España* (1904); la introducción a su antología *La joven literatura hispanoamericana* (1906); *Burbujas de la vida* (1908); *Las nuevas tendencias literarias* (1908); y *El arte y la democracia* (1909).

De pronto, en 1912, Ugarte suspende sus actividades estrictamente literarias para dedicarse durante largos años, con gran fervor, a denunciar los peligros acarreados por

lo que él concibe ser la política imperialista del gobierno
norteamericano. Ya desde el 900 el *arielismo* de Rodó
había planteado el problema del imperialismo "cultural"
de los Estados Unidos en Hispanoamérica, y los numerosos seguidores y comentaristas de Rodó habían defen-
dido (a veces exageradamente) el "humanismo latino"
contra el positivismo práctico de Norteamérica. Ugarte
señala los aspectos político-económicos del imperialismo y
muestra cómo la política estadounidense desborda los límites de lo puramente cultural. El ensayista argentino llega
a ser el más vigoroso y resonante defensor de Hispanoamérica ante la amenaza norteamericana y gana así su renombre continental. Emprende una campaña por América y
recorre los países del continente para pronunciar discursos y predicar la unidad hispanoamericana ante el coloso
del norte. Ataca, también, el panamericanismo propuesto
por Washington, denunciándole como instrumento de un
imperialismo absorbente, política falaz e insincera. Su actuación le convierte en blanco de ataques pero, en cambio,
son numerosos sus defensores y entre ellos no faltan norteamericanos. Es denunciado como enemigo de los Estados
Unidos, pero él mismo contesta a esta acusación, en un discurso pronunciado en 1912 en la Universidad de Columbia de Nueva York, cuando dice: "soy adversario de una
política. El solo hecho de haberme presentado a gritar mis
verdades desde tan enorme metrópoli indica que tengo amplia confianza y completa fe en el buen sentido y la honradez fundamental de este admirable país que, ocupado
en su labor productora y benéfica, no sabe el uso que se
está haciendo de su fuerza en las comarcas limítrofes, no
sabe que está levantando las más agrias antipatías en el
resto del Nuevo Mundo, no sabe la injusticia que se está
cometiendo en su nombre, no sabe, en fin, que sin que él
lo sospeche, por obra de los políticos expeditivos y ambiciosos, se está abriendo en América una era de hostili-
dad, un antagonismo inextinguible, cuyas consecuencias
tendrán que perjudicarnos a todos".

Las obras que recogen las palabras que dedica a esta misión resumen y sintetizan su pensamiento antiimperialista: *El porvenir de la América española* (1920); *Mi campaña hispanoamerica* (1922); *El destino de un continente* (1923); *La patria grande* (1924). En años posteriores publica otras obras de índole ensayística: *El dolor de escribir* (1933) y *Escritores iberoamericanos de 1900* (1943).

La figura de Ugarte es la de un orador y escritor en el plano de la acción política más que la de un ensayista sereno, profundo y original. Su prosa es la del propagandista, demasiado verbalista y pródiga en elocuentes paráfrasis. Sus libros tienen rasgos persuasivos, pero sus ideas tienden a la superficialidad, y como pensador, Ugarte no examina los problemas en su fondo ni sugiere soluciones a las cuestiones que plantea, limitándose a glosar tópicos ya sugeridos por otros. Le corresponde, sin embargo, un puesto importante en el desenvolvimiento intelectual hispanoamericano porque lleva el magno movimiento arielista por nuevos cauces, al introducir su propia campaña contra el imperialismo.

LECTURAS: "La nueva Roma", "Ante la victoria anglosajona", "La prueba de la guerra". *Anthology of Spanish American Literature* (New York, 1946), págs. 627-638. "El porvenir". *El porvenir de la América Latina* (Valencia, 1911), págs. 307-319.

CRÍTICA: Carrión, Benjamín. *Los creadores de la nueva América*, págs. 77-117. Crawford, William Rex. *A Century of Latin American Thought*, págs. 148-149. Deambrosis, Carlos Martín. "Ugarte en la conciencia de América". *Atenea* (Concepción, Chile), Octubre 1933, págs. 66-72. Henríquez Ureña, Max. *Breve historia del modernismo*, págs. 201-203. Zum Felde, Alberto. *Índice crítico de la literatura hispanoamericana. El ensayo y la crítica*, págs. 313-317.

Otro prosista argentino semejante a Ugarte en su inquietud de analista, pero de menos talento literario, es *CARLOS OCTAVIO BUNGE (1875-1918). Bunge es el primer ensayista en la región del Plata, después de Sarmiento, que trata de explicar la realidad americana. Además de ensayista, es novelista, profesor y escritor sobre temas legales, psicológicos, pedagógicos y filosóficos. Pero debe su mayor fama a su libro *Nuestra América,* aparecido en 1903 y subtitulado *Ensayo de psicología social* en su segunda edición (1905), obra de interpretación históricosocial.

En *Nuestra América,* el autor desarrolla un cuadro de la realidad humana de los países iberoamericanos, caracteriza los tipos psicológicos y analiza certeramente ambos fenómenos. Pero el lado débil de su obra se deriva del criterio casi exclusivamente étnico en que se funda. Toda causa y toda herencia analizadas en el libro se atribuyen a los caracteres hereditarios de los pueblos, de acuerdo con su doble o triple procedencia racial: española, indígena o africana. En la definición analítica que hace de los tipos humanos de Hispanoamérica se notan rasgos identificables como la arrogancia reacia y el orgullo del conquistador y su amor a la retórica grandilocuente del discurso; la pasividad, estoicismo y tristeza del alma indígena; la combinación de ambición y servilismo del mulato y su carencia de integridad. De este complejo de caracteres, de acuerdo con las ideas de Bunge, proviene el tipo psicológico general del pueblo hispanoamericano: arrogante, indolente, triste. Y a este complejo se deben otros males característicos bien conocidos: el énfasis literario, el arribismo político, el parasitismo burocrático. Lo que le quita valor a las ideas de Bunge es la unilateralidad de su punto de vista, al atribuir todos estos males a la herencia étnica, olvidándose, al parecer, de factores de otro orden tan importantes como las causas telúricas, económicas y culturales. Yerra Bunge, en su monismo étnico, tanto como Ingenieros en su propensión a explicar sólo sobre bases económicas la realidad humana de Hispanoamérca. Conviene señalar, además, que la solución propuesta por Bunge, eco de las ideas de Sarmiento y Alberdi, consise en adaptar y aplicar intensivamente en los países hispanos los métodos educativos anglosajones. Lanzada esta proposición tres años después de la aparición del *Ariel* de Rodó, cuando comienza a extenderse la prédica tan contraria del arielismo, puede afirmarse del libro *Nuestra América* que le toca nacer casi muerto.

Otro defecto del libro de Bunge es su estilo: ejemplo típico del modo de escribir del universitario del 900. El cientificismo del ensayista argentino le lleva a expresarse en un lenguaje pedante, que aburre a veces enormemente, y malogra el valor del libro, valor que se encuentra en los muchos aciertos de observación que contiene. Esta ingenua pedantería de lenguaje y conceptos, empero, se debe en parte a la orientación de Bunge dentro de la escuela positivista, que poseía sus propias fórmulas verbales, engoladas y presuntuosas. Parece innecesario advertir que escuelas anteriores y posteriores al positivismo también han exhibido otras formas características de pedantería estilística, y que este vicio no suele percibirse bien sino hasta después del tiempo en que se produce.

LECTURAS: "Caracteres genéricos de los mestizos hispanoamericanos..." *Nuestra América* (Buenos Aires, 1918), págs. 141-147. "Crítica de la doctrina democrática". *Estudios filosóficos* (Buenos Aires, 1919, págs. 172-175).

CRÍTICA: Gálvez, Manuel. "Carlos Octavio Bunge: el escritor y el hombre". *Nosotros* (Buenos Aires, Julio 1918, págs. 365-379. González Blanco, Andrés. *Escritores representativos de América.* Madrid: Editorial América, 1917, *passim.* Quesada, Ernesto. "La psicología de Carlos Octavio Bunge". *Nosotros* (Buenos Aires), Julio 1918, págs. 344-352. Rojas, Ricardo. *Historia de la literatura argentina.* Buenos Aires: Editorial Losada, 1948, Vol. VI, págs. 68-70; 90-96. Sánchez, Luis Alberto. *Nueva historia de la literautra americana,* pág. 343. Zum Felde, Alberto. *Índice crítico de la literatura hispanoamericana. El ensayo y la crítica,* págs. 247-250

Seguidor de Bunge en su propensión analítca, e influído por algunas de sus ideas, es el prosista boliviano *ALCIDES ARGUEDAS (1879-1946). Novelista e historiador, figura de relieve en las letras bolivianas, Arguedas debe su reputación de ensayista a *Pueblo enfermo,* subtitulado *Contribución a la psicología de los pueblos hispanoamericanos,* y publicado en Barcelona en 1910. Su libro, análisis positivista como el de Bunge, trata concretamente de Bolivia, pero su tesis y su crítica son extensibles a los otros países americanos. Lo mismo puede decirse de su conocida novela, *Raza de bronce*, publicada en 1919. En su estudio sociológico, Arguedas hace muchas observaciones certeras acerca de las peculiaridades territoriales del país, los caracteres psicológicos de los habitantes, los fenómenos sociales y políticos y otros factores empíricos. Donde Bunge acentúa la importancia de la herencia étnica, Arguedas subraya el papel dominante de la geografía áspera y cruel en la determinación del carácter de la raza, en este caso formada por los habitantes del altiplano andino. El tono sombrío y el aspecto negativo de la crítica de Arguedas, ambos muy exacerbados, le han valido la acusación injusta de antipatriótico, cuando en verdad lo que tiene es un pesimismo que nace de su honda y dolorosa preocupación por la *enfermedad* que cree haber descubierto en su pueblo. Con no poca razón Rodó le escribe, en una carta-crítica de su obra, que su pueblo más que enfermo es niño y que muchos de sus males se deben a su falta de desarrollo.

Arguedas concentra su crítica principalmente en el *cholo*, o mestizo boliviano, que es, según el ensayista, un tipo moral enteramente negativo y la causa de todas las desgracias que sufre el país. Hace uso de la clasificación de los tipos raciales empleada por Bunge: indio, hispano, mestizo, y repite las consabidas acusaciones de indolente, orgulloso y triste, señalando además las tendencias a la oratoria, la politiquería, la burocracia, etc. Pero lo nuevo en Arguedas es su denuncia del *cholo* como tipo moral negativo y la atribución a este mestizo de todos los males nacionales. "Son los gobernantes *cholos*, escribe, con su manera especial de ser y concebir el progreso, quienes han retardado el movimiento de avance de la República, y no únicamente en el aspecto institucional, sino también en lo económico e industrial, de tan grande influencia en el mundo". Ataca también a los *cholos* por su alcoholismo, su falta de interés en el arte, su esterilidad intelectual, y llega a declarar que todo en

Bolivia "se ha ido *acholando,* aplebeyándose, ordinarizán-
dose..." Lo viejo en sus ideas es la tendencia, ya patente
en grandes precursores como Alberdi y Sarmiento, de ver
la única solución posible en la europeización, en la asimi-
lación de métodos y técnicas anglosajones, etc. Hay en Arguedas, mestizo él mismo, un aparente —e irónico— olvido
de las muchas contribuciones de los mestizos de Bolivia y
de otros países al engrandecimiento de su patria. Parece no
comprender que existe en su propia obra y en la de otros
cholos la mejor demostración de la falsedad de su tesis de
inferioridad.

LECTURAS: "Causas de la esterilidad intelectual". *Pueblo enfermo* (Barcelona, 1911), págs. 233-244. "La faena estéril" [Frag-
mento]. *La danza de las sombras* (Barcelona, 1934), págs. 13-29.

CRÍTICA: Anónimo. "Necrología". *Revista Iberoamericana* (México), Octubre 1946, págs. 407-408. Carrión, Benjamín. *Los creadores de la nueva América.* Madrid: Sociedad general española de
librería, 1928, págs. 167-217. Crawford, William Rex. *A Century of
Latin American Thought,* págs. 106-108. Finot, Enrique. *Historia de
la literatura boliviana.* México: Librería de Porrúa Hermanos y Cía.,
1953, págs. 338-340; 400-405 y *passim.* Henríquez Ureña, Max. *Breve
historia del modernismo,* pág. 375. Zum Felde, Alberto. *Índice crítico de la literatura hispanoamericana. El ensayo y la crítica,* págs.
347-354.

Patriarca de las letras colombianas y figura de renombre continental es *BALDOMERO SANÍN CANO (n. 1861).
En su larga y fecunda vida ha sido profesor de literatura,
economista, ministro de Hacienda, periodista, crítico y un
ensayista que ha sabido combinar la sabiduría, la cultura
y la integridad moral. Nace antes de la mayoría de los modernistas, llega a ser uno de los más hábiles críticos y pre-
ceptistas del nuevo movimiento y desde hace más de seis
décadas, su inquieta e incansable inteligencia, moldeada en
las mejores tradiciones humanísticas, penetra en variadísimos campos del conocimiento humano. Su afán constante
es mantenerse en contacto con lo más bueno de las ideas
contemporáneas y pocos en América lo han logrado tan
bien como él. A la típica orientación francesa del moder-

nista, Sanín Cano añade extensos conocimientos de otras lenguas y literaturas: alemana, italiana e inglesa (reside largos años en Inglaterra y conoce íntimamente su ambiente intelectual). En su orientación ideológica, como se ve, está más bien dentro de la tradición de Bello y Alberdi que dentro de la de los seguidores de Rubén Darío.

Como ensayista, Sanín Cano es un excelente expositor de ideas a las cuales sabe dar un giro personal y propio. Exprésase preferentemente en un ensayo breve, juicioso, conciso, de pocas pero sustanciosas páginas repletas de potencia original. Puede decirse que es modernista por su frío y elegante deseo de precisión expresiva. Puesto que la mayor parte de su obra la han formado sus colaboraciones periodísticas, ostenta ella un carácter algo fragmentario e inorgánico, aun cuando es recopilada en forma de libro. La dificultad de reunir todo este material disperso ha impedido hasta ahora la publicación de sus obras completas. Entre las colecciones de sus ensayos ya editadas están *La civilización manual y otros ensayos* (1925); *Indagaciones e imágenes* (1926); *Crítica y arte* (1932); *Divagaciones filológicas y apólogos literarios* (1934); *Ensayos* (1942). Además ha publicado traducciones, libros de texto y una excelente historia sintética, *Letras colombianas* (1944). En 1949 aparecen sus memorias, *De mi vida y otras vidas;* en 1950, *Tipos, obras, ideas* y en 1955 *El humanismo y el progreso del hombre* y *Memorias de los otros,* libros de reminiscencias y meditaciones que atestiguan el espíritu liberal y el vigor mental de su admirable autor.

LECTURAS: "La civilización manual". *Eruditos antioqueños* (Vol. 54, Biblioteca Aldeana de Colombia. Bogotá, 1937), págs. 127-137. "¿Qué cosa es la Hispanidad?" *El humanismo y el progreso del hombre* (Buenos Aires, 1955), págs. 220-230.

CRÍTICA: González, Manuel Pedro. "Significación de Sanín Cano". *Estudios sobre literaturas hispanoamericanas,* págs. 313-327. Giusti, Roberto F. "Baldomero Sanín Cano". *Atenea* (Concepción, Chile), Noviembre 1933, págs. 141-151. Henríquez Ureña, Max. *Breve historia del modernismo,* págs. 313-316. "Homenaje a Sanín Cano".

Revista Iberoamericana (México), Febrero 1948. Este número de la revista contiene 19 artículos sobre Sanín Cano por destacados críticos continentales. Pages Larrañaga, Arturo. "Sanín Cano y su visión de la literatura colombiana". *Atenea* (Concepción, Chile), Julio 1948, págs. 36-44. Zum Felde, Alberto. *Índice crítico de la literatura hispanoamericana. El ensayo y la crítica*, págs. 381-383.

VII
EL ENSAYO DURANTE EL POSMODERNISMO

Se cita generalmente 1910, año en el que el poeta mexicano Enrique González Martínez proclama su simbólico verso, "Tuércele el cuello al cisne de engañoso plumaje", como fin del modernismo. Esto no es del todo exacto, porque en la literatura posterior al modernismo perduran muchos de los caracteres del movimiento y es bastante visible su herencia. Lo que sí cambia en los escritores hispanoamericanos es su actitud ante la literatura y ante la vida. La literatura "pura", el arte por el arte, la actitud estética ante la vida, la filosofía espiritualista, la "poetización" de la vida, la virtuosidad lingüística —todos rasgos esenciales y dominantes en el modernismo— ceden lugar, sin desaparecer enteramente, ante el intento general de las nuevas generaciones, de ponderar e interpretar el mundo hispanoamericano y sus múltiples problemas. Es decir, de las tres inclinaciones modernistas ya citadas: hacia lo estético, lo filosófico y lo social, predomina esta última, pero *nunca se pierden por completo las otras dos*, y en algunos prosistas apenas sufren mengua.

En los años que separan la época modernista de la nuestra se han registrado acontecimientos sociales, políticos, filosóficos y estéticos que afectan profundamente las corrientes literarias del mundo entero. Hispanoamérica, que entra en una etapa cosmopolita con el modernismo, ha sentido los efectos variados de tales acontecimientos y éstos han dejado sus huellas en el curso de nuestras letras. El preciosismo, tan caro a los modernistas, es sustituído por la complejidad, y ésta será la nota característica de la literatura hispanoamericana.

La revolución mexicana, por ejemplo, comenzada en el mismo año de 1910, da ímpetu al intento de sacar la literatura de su torre de marfil. El primer esfuerzo genuino en el mundo moderno a favor de los de abajo, sean indios o mestizos, la revuelta contra el porfirismo, estimula a los literatos de todo el continente a luchar por las reformas sociales, políticas y económicas y a denunciar la injusticia y la tiranía por medio de todos los géneros de la prosa y del verso. Los jóvenes, en México, primero con el famoso Ateneo de la Juventud (1909-1914) y, un poco más tarde, en la Argentina y otros países con la arrolladora "Reforma Universitaria", contribuyen a importantes mejoras en la educación superior y al ensanchamiento de los lazos entre las universidades y las masas populares. La revolución y el movimiento en pro de la justicia social y económica, como es sabido, motivan tan importantes manifestaciones literarias como el ciclo de novelas de la revolución mexicana y la actual novela indianista, realistas y proletarias ambas.

La primera guerra mundial —como más tarde la segunda— afecta el curso de las letras y del pensamiento hispanoamericanos. Las relaciones políticas y económicas se estrechan entre el mundo hispanoamericano y el anglosajón, pero la insistencia de los Estados Unidos en una orientación unilateral (norteamericana) de la política hemisférica provoca un recrudecimiento del temor al imperialismo yanqui. Este antiimperialismo es la nota que caracteriza la primera fase de la Alianza Popular Revolucionaria Americana (APRA), fundada en 1925 (¿1923?) por Víctor Raúl Haya de la Torre, como movimiento reivindicador de los derechos del pueblo y sobre todo del indio. El sentimiento a favor de la hispanidad, o sea la simpatía espiritual y cultural que se extiende por todas las naciones de origen español, crece notablemente con el establecimiento de la segunda República española en 1931. También están en auge, discordando del nacionalismo que se extiende ahora por tantos países, el panhispanismo, el indioamericanismo y el panamericanismo, o Política del Buen Vecino establecida por el Presidente Franklin Roosevelt en 1933. Las influencias extranjeras, antes principalmente venidas de España y de Francia, llegan ahora de Estados Unidos, Inglaterra, Alemania, Rusia e Italia, pero tanto estas influencias como aquéllas dejan de dominar el destino de una Hispanoamérica empeñada en crearse una literatura original, de temas y formas nativos, diferente de la europea, y expresada en un español en el cual los galicismos ceden ante el empuje de los americanismos y regionalismos. Estas fuerzas y tendencias, estas ideologías en conflicto, constituyen la esencia misma del pensamiento y de la literatura contemporáneos, e indican que la América española está muy cerca de su madurez intelectual, si es que no la ha alcanzado ya.

La desilusión amarga y la actitud cínica que se generalizan entre los escritores del mundo después de la primera gran guerra, la cual ha destruído su mundo firme y tradicional para reemplazarlo con otro amorfo, sin valores ni raíces, donde ellos se sienten perdidos, originan diversas corrientes extremistas en literatura. Varias de estas corrientes llegan a las naciones hispanoamericanas y una de ellas, el *creacionismo*, nace aquí. Las características de esta "literatura de vanguardia" (dadaísmo, expresionismo, surrealismo, ultraísmo, creacionismo) son el intento de romper con el pasado, el antimodernismo, el antirrealismo, el antirracionalismo, la ironía frecuentemente corrosiva, el interés por el subconsciente, la audacia y la novedad en tema y forma y, en el lenguaje, el uso (y abuso) de un idioma radicalmente nuevo, sobre todo en el empleo de la metáfora disparatada. Algunos de estos vanguardistas, en sus esfuerzos para crear una literatura "pura", inventan un nuevo gongorismo y se sitúan todavía más distantes de las cuestiones políticas y sociales que sus antecesores modernistas. Movimientos exclusivistas, limitados a pequeños grupos de iniciados, efímeros si se quiere, pero importantes por las huellas que han dejado en algunas de las figuras más notables de la literatura hispanoamericana contemporánea, inclusive los ensayistas.

Si, como hemos notado, las revistas literarias florecen durante la época del modernismo, ¿cómo puede calificarse el aumento notable del número de revistas editadas en el posmodernismo? La típica revista modernista era continental e internacional en su espíritu y en sus temas, y publicada en un ambiente cosmopolita por redactores interesados sobre todo en estetizar la vida. Sirve, con marcado éxito, para difundir la literatura y los ideales modernistas entre los escritores y las clases ilustradas de la América española. Con el advenimiento del posmodernismo a partir de 1910, la revista de este género es reemplazada por otras publicaciones que pueden dividirse en tres tipos bastante distintos: 1) la que sirve de vocero, usualmente efímero, de los movimientos de vanguardia; 2) la que es continental en su alcance sin ser órgano de determinado movimiento literario; 3) la que se dedica a las letras y a otros aspectos culturales de un solo país. El segundo tipo es mucho más numeroso que el primero, y el tercero es cada día más numeroso que el segundo. Los dos últimos tipos son de buena calidad y de gran importancia en la difusión de las ideas por todo el continente. Huelga señalar su valor en la tarea de dar a conocer la obra de los ensayistas por los diversos países hispanoamericanos.

Este es, a grandes rasgos, el escenario vivo y variado en el cual trabajan nuestros ensayistas contemporáneos. Sus obras revelan la intensa actividad intelectual de la América de nuestros días.

Uno de los primeros ensayistas que aparece durante el posmodernismo es el mexicano **JOSÉ VASCONCELOS (n. 1881). Hombre de acción, Vasconcelos es un irracionalista y su vida y obra reflejan una existencia turbulenta, accidentada y dramáticamente egocéntrica. Nace en Oaxaca y debe su orientación intelectual a sus estudios en la Universidad Nacional y a su actuación, junto con otros jóvenes mexicanos, en la campaña renovadora centrada en el Ateneo de la Juventud. Periodista y autor prolífico (ha escrito unos treinta volúmenes), publica libros de filosofía, de historia, de teatro, de cuentos y de memorias autobiográficas. Como ensayista, procede su fama principal de escritos sobre temas filosóficos, políticos y sociales. Su participación en la vida pública es intensa, y en sus cinco años de Secretario de Educación Pública (1920-1925) realiza una obra generosa a favor de la cultura popular. Fué también rector de la Universidad Nacional de México.

Exilado voluntario en 1925, por su oposición a la política arbitraria del gobierno, emprende un viaje por Francia, Portugal, España y casi todos los países de América española, donde diserta sobre problemas mexicanos y varias cuestiones raciales y políticas que interesan a esas naciones. Su nombre llega a ser muy conocido en el continente, así como su interpretación de la cultura iberoamericana. En los últimos años Vasconcelos se ha convertido al catolicismo, y esto seguramente le ha hecho cambiar algunas de sus tempranas nociones filosóficas, y quizás sociales y políticas, también. El carácter del autor mexicano es, en verdad, complejo, pues en una y otra parte de su obra, por ejemplo, se revela como defensor de la hispanidad y de la conquista, creyente en la salvación de América por el mestizaje, enemigo arielista del materialismo norteamericano y de la política de los Estados Unidos y, más tarde, admirador del panamericanismo y de la política del Buen Vecino de Roosevelt.

Como filósofo Vasconcelos ha publicado numerosas obras, entre las cuales pueden mencionarse *Pitágoras, Una teoría del ritmo* (1916), *Monismo estético* (1919), *Tratado de metafísica* (1929), *Ética* (1932), *Estética* (1935), *Historia del pensamiento filosófico* (1937), *Manual de filosofía* (1942) y *Lógica orgánica* (1945). En estos escritos (los más recientes son inferiores a los iniciales) se vislumbran

las nociones filosóficas del autor: superación del positivismo por medio de una interpretación del Universo apoyada
en "un monismo fundado en la Estética". La vida humana
es acción; nuestro mundo es el producto de un principio activo que consigue cambios cualitativos desde la materia
hasta el espíritu; el hombre construye su vida sobre una
conducta ética que se transmuta en estética porque, al
actuar el hombre, crea emocionalmente su propia personalidad.

El aspecto más conocido y celebrado de Vasconcelos es
el de ensayista preocupado por los problemas de América,
reputación ganada con *La raza cósmica* (1925) e *Indología* (1926). En estos dos libros considera lo que él mismo
califica de "trilladas cuestiones", o sea los complejos problemas políticos y sociales iberoamericanos enunciados desde los tiempos de Echeverría, Sarmiento y Alberdi. Por
esto un crítico uruguayo del escritor mexicano, Alberto Zum
Felde, ha dicho de estos libros que "lo que hay en ellos de
bueno no es nuevo y lo que hay de nuevo no es bueno",
refiriéndose a lo que él considera ser lo consabido de muchas de sus ideas, la falta de rigor en el estudio sociológico,
y la mística verbalista del iberoamericanismo divagador y
retórico de Vasconcelos. Exagerada o justificada como pueda parecer esta crítica, lo que nadie puede negar es que las
afirmaciones contenidas en estos dos libros han encontrado
un poderoso eco en el espíritu de la América mestiza. Al
proponer su teoría de que la misión de la quinta raza, la
"raza cósmica" o mestiza de América, será la que deter-
minará el porvenir del nuevo mundo, escribe: "creo que
la nacionalidad es una forma caduca, y por encima de las
patrias de hoy, cuyos problemas ya casi no mueven mi
pecho, veo aparecer las banderas nuevas de las Federaciones
étnicas, que han de colaborar en el porvenir del mundo"
(*La raza cósmica*). Y en *Indología* continúa expresando la
esperanza de una inmensa población americana, cuando
afirma "que nuestra mayor esperanza de salvación se encuentra en el hecho de que no somos una raza pura, sino un

mestizaje, un puente de razas futuras, un agregado de razas en formación: agregado que puede crear una estirpe más poderosa que las que proceden de un solo tronco".

Fama merecida ha ganado Vasconcelos por otros libros suyos. Cuatro volúmenes de materia autobiográfica, *Ulises criollo* (el mejor, 1935), *La tormenta* (1936), *El desastre* (1938) y *El proconsulado* (1939) narran su borrascosa existencia, con cruda sinceridad y pintoresco vigor, y dan a la vez una interpretación personalísima de muchos incidentes de la moderna historia mexicana. En *Bolivarismo y Monroísmo* (1934) y otros escritos desborda su antiimperialismo y su temor de la posible influencia, en Hispanoamérica, de ciertos aspectos de la cultura norteamericana.

El estilo del Vasconcelos prosista es, como su carácter, tumultuoso, brioso, flexible, denso de ideas. Es la expresión de un luchador infatigable, perennemente inquieto. Le importa menos la forma que la esencia de lo que quiere decir, pero a pesar de esto hay esparcidas en sus libros páginas bellas y felices figuras imaginativas. Es vigoroso, descuidado, pero no vulgar. Uno de sus críticos más severos (Alberto Zum Felde) señala los defectos que están presentes, en mayor o menor grado, por toda su obra: "la inconsistencia conceptual y el tono pontificio, la genialomanía y el *literateo*", pero recalca las virtudes de los volúmenes autobiográficos, que "ofrecen... una rica materia de intuición y experiencia histórica..., cuya forma literaria, narrativa, novelada... confirma su interés de letra viva, su valor humano, asegurándole un lugar permanente en la literatura mexicana, y en la americana, de esta época".

LECTURAS: * "El mestizaje. III". *La raza cósmica* (México, 1948), págs. 38-54. "Para una interpretación de Pitágoras". *La filosofía latinoamericana contemporánea* (Washington, 1949), págs. 245-253.

CRÍTICA: Carrión, Benjamín. *Los creadores de la nueva América*, págs. 23-76. Crawford, William Rex. *A Century of Latin American Thought*, págs. 260-276. Romanell, Patrick. *Making of the Mexican Mind*, págs. 95-138. Sánchez Villaseñor, José. *El sistema filosófico de Vasconcelos: ensayos de crítica filosófica.* México: Editorial Polis, 1939. Vitier, Medardo. *Del ensayo americano,* págs. 217-233. Zum Felde, Alberto. *Indice crítico de la literatura hispanoamericana. El ensayo y la crítica,* págs. 419-429.

Marcadas diferencias separan a Vasconcelos de otro pensador mexicano de su época, *ANTONIO CASO (1883-1946), nacido y educado en la capital de la República. Colaborador en las actividades meritorias del Ateneo de la Juventud, Caso ocupa muy joven la cátedra de filosofía en la Escuela de Altos Estudios de la Universidad Nacional. Maestro en muchas disciplinas, personalidad luminosa, desarrolla vasta y poderosa obra de escritor y pensador, descuella como crítico y ensayista multiforme, compone versos y es autor de tratados de estética y sociología. Se dedica a combatir el materialismo histórico y a defender la libertad de pensamiento y de cátedra. Si la pasión y el sentimiento dominan en Vasconcelos, en Caso gobiernan la meditación disciplinada y el espiritualismo. El hecho de que la obra de aquél sea más conocida actualmente en el mundo hispanoamericano no disminuye en nada el valor de la de éste. En un día muy próximo los méritos de la admirable obra de Antonio Caso le darán el alto puesto que cabalmente le corresponde.

La importancia de Caso se debe ahora principalmente a sus actividades como filósofo —uno de los pocos habido en Hispanoamérica—, pero su influencia irá creciendo mientras sus libros se vayan leyendo más extensamente en el hemisferio. Difícil sería exagerar el influjo de sus ideas y de su vida austera y generosa en las generaciones de estudiantes mexicanos que han escuchado su verbo o leído sus escritos.

Para Caso, la filosofía es una tarea infinita en la que colaboran, alternándose o coincidiendo, dos tipos de mentalidades, la discreta y la heroica. La primera, caracterizada por su cautela crítica y su sentido dialéctico; la segunda, animada de genio creador. El mexicano se inclina hacia la segunda porque para él la filosofía es un modo de

ser prolongado en conducta y no un saber, producto inte-
lectualista de la pura inteligencia. Caso es el primero en
introducir en su patria las ideas de Bergson sobre la intuición y la evolución creadora y, más tarde, las nociones de
la filosofía alemana contemporánea. Para él, la ciencia es
sólo una parte del conocimiento, una parte que la filosofía
ha de superar para darnos un saber de la realidad concreta.

En la obra de Antonio Caso hay una convicción básica:
que en el hombre existe un impulso desinteresado que se
patentiza en la creación estética y en la acción moral. Y
este impulso existe junto a las actividades egoístas, utilita-
rias y económicas tan prominentes en el hombre. El bien
para Caso, entonces, no es una ley sino un ímpetu, un entusiasmo, una entrega de índole heroica y no de voluntarismo
apasionado. Y para Caso, la historia no es saber sino acción que adquiere sentido por medio de la vida personal.
La cultura nace de este concepto de la historia y es la inte-
gración de los esfuerzos en pro del bien, hechos por las
personalidades superiores. Entre sus muchas obras filosóficas que ejemplifican tan loables ideas, de clara procedencia cristiana, están *La existencia como economía, como des-
interés y como caridad* (1919), *El concepto de la historia
universal* (1923) y *El concepto de la historia y la filosofía
de los valores* (1933).

Entre sus obras más bien ensayísticas hay algunas de
sumo valor e interés. Se dirige Caso a los grandes problemas de la realidad histórica de su tiempo y de la cultura
mexicana, y sus ideas sobre este último tema tienen aplicación también a muchos aspectos de la cultura hispanoamericana. En libros como *Discursos a la nación mexicana*
(1922), *Nuevos discursos a la nación mexicana* (1934);
El problema de México y la ideología nacional (2ª ed.
1955), y en sus pequeños trabajos recopilados en otros
volúmenes, enjuicia severa pero justamente la realidad mexicana en casi todas sus manifestaciones importantes, y no
pocas de sus afirmaciones serán recordadas por largo tiempo. El mundo nunca se acaba de construir, predica, y quiere

influir en el desenvolvimiento mexicano para encaminarlo por las direcciones más altas y virtuosas. En *La persona humana y el estado totalitario* (1941) y *El peligro del hombre* (1942) lucha con su saber histórico, su criterio espiritualista y su hermosa elocuencia, en defensa de la libertad de la personalidad humana frente a las doctrinas del absolutismo del estado totalitario, sea fascista o comunista. La justa solución de la contienda entre el individuo y la comunidad, según Caso, está en la sociedad que respeta la persona humana libre, empezando por ser ella misma persona.

Caso, como pasa con otros filósofos-catedráticos (Bergson, Ortega y Gasset, por ejemplo), dicta cursos que se ponen de moda y atraen, además de los estudiantes regulares, un público culto. Por eso su estilo y su lenguaje a veces resultan más bien literarios que filosóficos, alejándose de la precisión severa que se acostumbra en esta última disciplina. Pero su prosa es siempre amena, clara, de frase y párrafo generalmente cortos, y no faltan en ella delicadas y aptas figuras imaginativas. En fin, entre sus muchos méritos Antonio Caso cuenta también con el de enseñar deleitando.

LECTURAS: "La existencia como caridad". *La filosofía latinoamericana contemporánea* (Washington, 1949), págs. 280-286. "El problema de México". *El problema de México y la ideología nacional* (México, 1955), págs. 25-30.

CRÍTICA: Crawford, William Rex. *A Century of Latin American Thought*, págs. 276-292. Ferrater Mora, José. *Diccionario de Filosofía*, pág. 137. *Homenaje a Antonio Caso.* México: Centro de Estudios Filosóficos, 1947. Contiene 12 estudios críticos sobre las ideas de Caso. Ramos, Samuel. "La filosofía de Antonio Caso". *Cuadernos Americanos* (México), Mayo-Junio, págs. 122-133. Romanell, Patrick. *Making of the Mexican Mind.* Lincoln: University of Nebraska Press, 1952, págs. 69-92. Zea, Leopoldo, Prólogo a *El problema de México y la ideología nacional,* México, 1955.

El argentino **RICARDO ROJAS (n. 1882) es un polígrafo cuya obra y actuación recuerdan las del grupo del Ateneo mexicano. En 1909 Rojas, oriundo de Tucumán,

comienza a predicar una nueva y más amplia forma de nacionalismo que debería tener como meta un desenvolvimiento sobre todo espiritual, y esta meta constituye el eje
central sobre el cual puede decirse que gira su variada
obra de ensayista, historiador y crítico. Hay, en verdad,
una extraordinaria, fusión de intereses nacionalistas y literarios. Su larga carrera de catedrático (ha sido además rector de la Universidad de Buenos Aires) y humanista la
ha dedicado enteramente a un esfuerzo de sintetizar en sus
escritos el alma de la Argentina —y su éxito ha sido notable—. Muy joven se destaca en las letras patrias y hoy
es, quizá, la figura intelectual de mayor renombre en la
Argentina.

Un examen de varios de sus ensayos más conocidos revela la esencia de sus ideas centrales. En *La restauración
nacionalista* (1909) estudia problemas de la educación pública argentina, a raíz de un viaje oficial a Europa para
observar métodos pedagógicos. Recomienda una educación
liberal que informará al estudiante de la tierra, de la lengua y de la tradición argentinas, de tal modo que hasta el
hijo del inmigrado se convertirá en un argentino hondo y
apasionado. Es decir, pugna por una reintegración de las
tradiciones indohispanoargentinas a la herencia del carácter colonial y patricio, tal como éste se manifiesta en la república primitiva, surgida de la revolución libertadora. Este libro inicia el movimiento intelectual de recuperar la
conciencia argentina entendida como personalidad nacional.
En *Blasón de plata* (1912), libro muy difundido, encontramos el ensayo más poético de Rojas, obra que acusa una
mayor tendencia al romanticismo, al misticismo y al exotismo (lo cual nada debe extrañar, en vista de las influencias
modernistas en la formación literaria de este autor). Rojas
enseña en *Blasón* que la tierra misma del continente sud-
americano contagia a todos sus habitantes, sean éstos indios,
criollos, españoles, de un poderoso anhelo de libertad. Las
fuerzas que luchan en esta tierra no son, como suponía Sarmiento, la civilización y la barbarie, sino la nativa y la

exótica, y en su fusión afortunada está el problema que arros-
tran la Argentina y las demás naciones iberoamericanas. *La
argentinidad* (1916) continúa, en un ámbito más limitado,
estos mismos conceptos. Es una versión bastante lírica de
la historia argentina que recalca la fuerza del arraigado nacionalismo de su pueblo y su amor a la libertad. Según
Rojas, en la formación y determinación de la personalidad
nacional debe prevalecer el espíritu telúrico e histórico de
las provincias interiores sobre el cosmopolitismo exótico,
importado, de Buenos Aires y las costas atlánticas. Reac-
ciona así de modo negativo a las ideas de sus grandes antecesores Sarmiento y Alberdi, que proponen la europeización como la mejor forma de "civilizar" la Argentina y,
por extensión, el resto de la América hispana.

Eurindia (1924) es la más conocida y celebrada de sus
obras ensayísticas. La palabra, inventada por él, simboliza
la fusión perfecta (pero todavía no alcanzada) de la cultura y del espíritu del europeo con los del indígena, y Rojas
llama su libro "ensayo de estética fundado en la experiencia
histórica de las culturas americanas". La obra, en buena
parte, es una exégesis de su vasta *Historia de la literatura
argentina* (primera edición, 1921), y le sitúa en la tradición americanista de los grandes próceres que han buscado
el modo de hacer una cultura auténtica en este nuevo continente. Defiende Rojas la idea de que en América necesitamos "asumir la autonomía del espíritu, si es que somos
capaces de ello, como supimos asumir la del gobierno y la
tierra", y propone, como se ha visto, el dualismo dialéctico
de exotismo *vs.* indianismo. Pero, a los ojos de uno de sus
críticos más rigoristas (Alberto Zum Felde), esta idea no
es nueva, ni es tampoco apropiado el término "exotismo".
Para Zum Felde la cultura europea es un factor imprescin-
dible en la formación y evolución de nuestra cultura y la
palabra "exotismo" es "impropia y confusiva". Sugiere el
citado crítico otros vocablos: *"Universal* sería término más
lógico, más exacto, frente a *nacional,* como concepto dialéctico". De todos modos, el problema de cómo conseguir

un americanismo cultural ha interesado —y sigue interesando— a muchos de los grandes (y pequeños) pensadores hispanoamericanos. Si Ricardo Rojas no se suma a los sociólogos ni a los historiadores entre estos pensadores, nadie podrá discutir su calidad de hombre de letras.

Además de ser ensayista, Rojas ha cultivado la poesía, la crónica, la oratoria, el teatro, la historia y crítica literarias y la biografía, notablemente con sus vidas de San Martín, *El santo de la espada* (1933), y Sarmiento, *El profeta de la pampa* (1945). Se destaca por su obra histórica y de investigación, objetiva y sólidamente documentada.

El estilo de Rojas ostenta más de un dejo del modernismo y aun del retoricismo premodernista. En sus mejores páginas hay prosa ligera, amena, salpicada de metáforas; otras veces es florida y armoniosa. Pero a veces su elocuencia tiende a hincharse de una retórica académica y ampulosa. Más de uno de sus críticos ha notado este verbalismo y ha encontrado su origen o en la larga experiencia académica del escritor argentino o en la insuficiencia de disciplina mental al formular sus ideas. Nadie le ha criticado su noble pasión, su sinceridad, su probidad ni su patriotismo iluminado.

LECTURAS: * "La argentinidad" [Fragmentos]. *Anthology of Spanish American Literature* (New York, 1946), págs. 645-652. "De cómo, cumplidos los presagios, el aborigen indianizara el alma del Conquistador, y éste hispanizara su gobierno social". *Blasón de Plata* (Buenos Aires, 1912), págs. 117-126.

CRÍTICA: Coviello, Alfredo. "Semblanza del príncipe de las letras argentinas". *Revista Iberoamericana* (México), Febrero 1943, págs. 47-75. Crawford, William Rex. *A Century of Latin American Thought*, págs. 164-169. *La obra de Ricardo Rojas: 1903-1928*. Buenos Aires, 1928. Contiene su biografía, una bibliografía y varios artículos críticos. Pinto, Juan. *Literatura argentina contemporánea.* Buenos Aires: Editorial "Mundi", 1941, págs. 323-328. Velázquez, A. "El argentino y el americano, Ricardo Rojas". *Universidad de San Carlos* (Guatemala), núm. 3, 1946, págs. 7-42. Zum Felde, Alberto. *Índice crítico de la literatura hispanoamericana. El ensayo y la crítica*, págs. 447-454.

Pocos son los escritores que han pertenecido tan cabalmente a América como el dominicano **PEDRO HENRÍQUEZ UREÑA (1884-1946). Errante "ciudadano espiritual" del continente, sus viajes, cátedras, cenáculos y obras han tenido un gran sentido para la cultura hispanoamericana durante la última media centuria. Significan una larga y constante "busca de nuestra expresión", un hondo esfuerzo por comprender la esencia del americanismo auténtico.

Muy joven pasa dos años en Cuba (1905-06), donde se define su vocación literaria. Llega en 1906 a México y en la capital azteca vive más de una década. Funda, con otros jóvenes intelectuales (Antonio Caso, José Vasconcelos, Alfonso Reyes), la Sociedad de Conferencias que pronto se transforma en el ya citado Ateneo de la Juventud. Henríquez Ureña es, por su lúcida mentalidad y su rico saber, la figura preponderante del Ateneo y debido a él se inicia la reacción contra el positivismo, filosofía del régimen porfirista que está por desaparecer. Entre 1917 y 1920, junto con Alfonso Reyes, se establece en Madrid para estudiar en el Centro de Estudios Históricos, núcleo de la renovación humanística y científica de la España moderna. Su ejercicio en las disciplinas y métodos filológicos y estilísticos contribuyen a mejorar sus cualidades de ensayista crítico. Según las palabras del crítico mexicano Salvador Novo: "de la erudición caudalosa de Menéndez y Pelayo, había pasado al conocimiento científico, sistematizado y moderno de la escuela de Menéndez Pidal". De México parte en 1924 para Buenos Aires, donde se establece definitivamente y donde la muerte le sorprende en plena actividad pedagógica. En la capital argentina presta valiosa colaboración al Instituto de Filología de la Universidad de Buenos Aires y es compañero y mentor de muchos de los mejores escritores nacionales de la época. Llega a dictar cursos, también, en algunas importantes universidades norteamericanas, como las de Harvard y Minnesota.

A pesar de ser ensayista, historiador, filólogo y crítico,

Henríquez Ureña no es un escritor fecundo. Aparte de su larga y ardua labor de catedrático, que no le deja muchas horas libres, su inquieta mentalidad se inclina a expresarse en un estilo concentrado, denso, que requiere mucho tiempo para su composición. Y, como observa su gran amigo Alfonso Reyes, "todo lo dejaba, todo, para acudir a los demás, y en ello gastó gran parte de su vida. Somos legión los responsables de que no haya dado cima a muchos más libros proyectados". Su primer libro, *Ensayos críticos* (1905), que está dentro de la tradición estética modernista, es un estudio de varios escritores contemporáneos (D'Annunzio, Wilde, Darío) que revela sus vigorosas facultades de crítico literario. Su segundo libro, *Horas de estudio* (1910), es una obra en la cual predomina el tema filosófico sobre el literario. Contiene estudios sociológicos (uno sobre el *Tratado de Sociología* de Hostos, por ejemplo) y comentarios acerca de las conferencias que Antonio Caso daba coetáneamente sobre el positivismo spenceriano en la Escuela Nacional Preparatoria de México. Hay en el libro, además, críticas de Nietzsche y del pragmatismo del filósofo norteamericano William James. Atestigua *Horas de estudio* la decisiva negación del positivismo que en adelante caracteriza las ideas del ensayista dominicano.

En 1922 aparece un pequeño trabajo, *En la orilla: mi España,* cuya tesis es una reivindicación de los valores esenciales y eternos de la cultura hispánica ante las deformaciones que sufre ésta por motivos políticos y sectarios, fuera y por encima de todos sus vicios y errores. Trata también de hacer una conciliación y un equilibrio entre la cultura peninsular y el anhelo de independencia y originalidad que anima la literatura hispanoamericana desde sus comienzos, a partir de la emancipación política. Semejantes proposiciones son sostenidas en *Seis ensayos en busca de nuestra expresión* (1927), uno de sus libros más notables y producto de su madurez intelectual. En los escritos de este volumen no hay ideas nuevas y originales acerca del problema del americanismo literario, pues Henríquez Ureña piensa, como antes pensaban Bello y Rodó, que la solución está en la fusión acertada de los elementos de la cultura universal (la forma) y la vida y naturaleza americanas (la sustancia). Lo nuevo y original en el libro está en las normas genéricas, la metodología y la técnica (examinadas específicamente en el segundo ensayo, "Caminos de nuestra historia literaria") que propone para el ejercicio de la crítica literaria hispanoamericana, y lo cual basta para consagrarle como uno de los primeros maestros del género en América.

Además de los numerosos artículos y ensayos de Pedro Henríquez Ureña sobre temas de cultura y letras, publicados en muchos países del continente y todavía no coleccionados en volumen, quedan dos obras suyas que merecen comentarse. Se trata de *Literary Currents in Spanish America* (1945), recopilación de sus conferencias pronunciadas en inglés en Harvard University (traducción al español, 1949), y la *Historia de la cultura en la América hispana* (1947). Ambas son admirables síntesis, casi esquemas, escritas con gran concisión, donde el autor correlaciona la evolución histórico-política con la estética y la ideológica, cada una en su justa medida.

Su estilo en prosa a comienzos de su carrera se orienta hacia el modernismo y es un tanto florido y rico en imágenes. Pero ya con su segundo libro se nota la evolución hacia una expresión más sencilla, depurada y armoniosamente elegante. Alfonso Reyes califica su estilo de "modelo de sobriedad suficiente", pero afirma que uno de sus mayores encantos era "la pericia en la variedad sintáctica" y, para resumir, apunta que, en Henríquez Ureña, "el molde era siempre del tamaño de la idea que encerraba". Y Ezequiel Martínez Estrada ha escrito: "su pensamiento tenía siempre la pulcritud del verso y del teorema... todo en su mente y en su corazón estaba regido por las normas inexorables del equilibrio y de la armonía".

LECTURAS: * "El descontento y la promesa". *Ensayos en busca de nuestra expresión* (Buenos Aires, 1952), págs. 37-51. "La obra de José Enrique Rodó". *Ibid.*, págs. 118-131.

CRITICA: Anderson Imbert, Enrique. *Estudios sobre escritores de América.* Buenos Aires: Editorial Raigal, 1954, págs. 208-220. Castro Leal, Antonio. "Pedro Henríquez Ureña, humanista americano". *Cuadernos Americanos* (México), Julio-Agosto 1946, págs. 268-287. Martínez Estrada, Ezequiel. "Homenaje a Pedro Henríquez Ureña". *Ensayos en busca de nuestra expresión,* por Pedro Henríquez Ureña. Buenos Aires: Editorial Raigal, 1952, págs. 17-19. Reyes, Alfonso. "Evocación de Pedro Henríquez Ureña". *Ensayos en busca de nuestra expresión,* págs. 7-15. Vitier, Medardo. "Pedro Henríquez Ureña y el ensayo". *Del ensayo americano,* págs. 193-216. Zum Felde, Alberto. *Indice crítico de la literatura hispanoamericana. El ensayo y la crítica,* págs. 543-549.

Si se concibe el ensayo como un género de estructura lógica que admite el lirismo, si es —como sostiene Anderson Imbert— "sobre todas las cosas, una unidad mínima, leve y vivaz, donde los conceptos suelen brillar como metáforas", entonces al mexicano y regiomontano **ALFONSO REYES (n. 1889) le corresponde el título de primer ensayista contemporáneo de Hispanoamérica. Ninguno como él desde Rodó ha sabido fundir en su obra la erudición con la gracia y ambas cualidades con la perspicacia crítica. De él escribe Alberto Zum Felde: "ya sería mucho unir ambas cosas, ser a la vez un ensayista sutil y un erudito metódico; pero Reyes es todavía más que eso, es un artista, un escritor tocado por la gracia del estilo; y a tal punto que, a menudo, parece casi desprenderse de la gravedad del tema mismo, para hacerlo objeto de un elegantísimo juego literario, de un fino deporte espiritual".

Ya hemos visto que Alfonso Reyes llega a las letras como el más joven de los camaradas del Ateneo de la Juventud de México. En 1911, a la edad de 22 años, publica su primer libro: *Cuestiones estéticas.* En esta primera obra, la cual le trae una aprobación crítica que perdura respecto a sus escritos posteriores, se vislumbran las predilecciones que han de dominar en sus libros: el amor por las letras griegas, el interés por las letras españolas e inglesas, la admiración por Goethe y el estudio incesante de la cultura patria.

En agosto de 1913 se halla en París. En octubre de

1914, aparece ya en España, donde se enriquece con las disciplinas filológicas que aprende en el benemérito Instituto de Filología y en el Centro de Estudios Históricos de Madrid, bajo la dirección de don Ramón Menéndez Pidal. Aquí se ilustra en la técnica de su profesión, la de la crítica y del ensayo histórico-literario, y a la vez se libra del mal de la pedantería que afecta con tanta frecuencia a los escritores académicos, y de la frondosidad verbal que echa a perder tantos ensayistas de lengua española. De esta formación proceden, a grandes rasgos, las características que acusa Alfonso Reyes en los años siguientes de su vida, durante su servicio diplomático en España, en Francia, en Hispanoamérica, y durante los últimos lustros que ha dedicado a la dirección del Colegio de México (centro de altos estudios), a colaborar en varias prestigiosas revistas y a parecidas actividades intelectuales.

La obra en prosa de Reyes es vasta, demasiado vasta para un comentario pormenorizado en estas páginas. Contentémonos, por lo tanto, con indicar algunos de sus libros mayores. *Visión de Anáhuac* (1917), por ejemplo, es una ofrenda de amor a la patria, una expresión lírica que capta y comunica admirablemente las esencias del paisaje y la naturaleza mexicana. En 1921 aparece su libro *Simpatías y diferencias*, cinco series de estudios amenos y amables sobre los gigantes de las letras españolas. *El cazador,* del mismo año, recoge ensayos que atestiguan su culto al espíritu de Francia. Entre otras colecciones de ensayos pueden mencionarse *Pasado inmediato y otros ensayos* (1941), *La experiencia literaria* (1942), *A lápiz* (1947), *Grata compañía* (1948), *Ancorajes* (1951), *Trayectoria de Goethe* (1954).

Como crítico, y a pesar de todo su profundo conocimiento de la teoría crítica universal, no es formalista ni retoricista sino que analiza siempre la obra en función del autor, examina el hombre en sus más íntimas y personales reacciones, e investiga el contenido social del lenguaje que emplea.

Hay grandes cimas en su obra crítica: *Cuestiones gongorinas* (1927); *Capítulos de literatura española* (primera serie, 1939; segunda, 1945); *Letras de la Nueva España* (1948); *La crítica en la edad ateniense* (1941); *La antigua retórica* (1942); *El deslinde: prolegómenos a la teoría literaria* (1944). Este último, quizá su libro más importante, es una magna investigación estética-filosófica para demarcar, o *deslindar* la literatura. Refiriéndose a *El deslinde*, escribe el ensayista mexicano Luis Garrido que Reyes "ha señalado una serie de rumbos para ampliar el horizonte que nos descubre la teoría literaria. Ha vaciado en estas páginas lo mejor de su experiencia como hombre de letras, y se ha interesado en hurgar todos aquellos sitios que la literatura frecuenta, como él mismo señala 'con inteligencia de amor, única actitud definitivamente legítima' ".

A pesar de haberse mantenido casi siempre al margen de la política y de la polémica, los sentimientos del ensayista mexicano son liberales y muchos son los escritos suyos de clara intención nacional y americana, tales como *Ultima Tule* y *Tentativas y orientaciones*, que revelan su fino idealismo americanista.

Inteligencia, amor, claridad, verdad, todos amalgamados mágicamente por el arte, constituyen el estilo de Alfonso Reyes, y a él, como a muy pocos, puede aplicarse el aforismo de Buffon: "el estilo es el hombre mismo".

LECTURAS: * "Peroración". *El deslinde* (México, 1944), págs. 351-355. "La sonrisa". *El suicida* (México, 1954), págs. 35-43.

CRÍTICA: Anderson Imbert, Enrique. *Ensayos*, págs. 77-86. Garrido, Luis. *Alfonso Reyes*. México: Imprenta Universitaria, 1954. Hershey, John H. "La promesa y el destino de las Américas". *Atenea* (Concepción, Chile), Junio 1947, págs. 326-339. Holmes, Henry A. *Contemporary Spanish Americans*, págs. 109-114. Olguín, Manuel: *Alfonso Reyes, ensayista*, Colección Studium, núm. 11, México 1956. Martínez, José Luis. *Literatura mexicana: Siglo XX*. México: Antigua Librería Robredo, 1949, Vol. I, págs. 280-286.

Muy joven llega a la Argentina el sevillano *FRANCISCO ROMERO (n. 1891). Se prepara en la carrera militar (marina de guerra) pero su afición a las letras le mueve hacia el campo de la crítica y la estética. De allí pasa al de la filosofía y pronto llega a distinguirse en los círculos intelectuales bonaerenses. Formado al lado de don Alejandro Korn, es su discípulo predilecto. En 1931, tras varios años de labor docente, sucede a Korn en la cátedra de metafísica de la Universidad de Buenos Aires. Entonces abandona definitivamente la carrera de las armas y se dedica por completo a enseñar y a escribir. Renuncia su cátedra oficial en 1946, y enseña ahora en el Colegio Libre de Estudios Superiores de Buenos Aires. Funda y dirige la prestigiosa revista *Realidad* durante sus tres años de vida (1947-1949).

La inteligencia innata de Romero, su amplia erudición, su lúcida facultad crítica y su gran celo pedagógico (no sólo en las aulas sino también en la revista, el periódico y la conferencia) le han convertido en uno de los mejores vulgarizadores de la filosofía europea pospositivista y, en especial, del pensamiento alemán. Pero a la vez ha desarrollado conceptos filosóficos propios y originales, como lo demuestran sus muchos libros. Ha escrito textos pedagógicos, biográficos y obras de divulgación: *Lógica y nociones de teoría del conocimiento* (1938); *Alejandro Korn* (1948); *Filosofía contemporánea* (1941); *Filosofía de ayer y de hoy* (1947); *Sobre la filosofía en América* (1952). Su propia filosofía, sin embargo, se explica en libros tales como *Filosofía de la persona* (1944), *Papeles para una filosofía* (1944), *El hombre y la cultura* (1949) y *Teoría del hombre* (1952). Es partidario decidido de la metafísica trascendental y participa en el movimiento intuicionista y vitalista que caracteriza los tiempos actuales.

Teoría del hombre es su obra más completa y definitiva publicada hasta ahora e ilustra muy bien las notas fundamentales de su pensamiento. Son tres: la problematicidad del conocimiento, el concepto de estructuralismo, y el principio de personalismo. Para Romero, cuando se desarrolla una "filosofía", 1) *todos* los hechos de nuestra experiencia merecen estudiarse; 2) el nuevo concepto de *estructuralismo* debe reemplazar a los antiguos de evolución, mecanismo, racionalismo, etc.; 3) *la persona*, como función de trascendencia (y todo lo que implica la trascendencia en cuanto a valor y a historia), debe ser el tema principal de tal filosofía. No se busque en su libro una filosofía finita y sistemática, pues el escritor argentino rechaza todo dogmatismo y construcción *a priori* del pensamiento. Búsquense en él, en cambio, fértiles cavilaciones acerca de la estructura y la trascendencia del hombre espiritualizado.

Prosista excelente, pensador riguroso, ordenado y equilibrado, Romero se expresa en el lenguaje más claro y poético que permite la índole de sus ideas. A fin de que demuestren el alto valor de su prosa para la ensayística americana, citamos unas líneas de *Teoría del hombre*: "El verdadero sentido de su vida sólo puede hallarlo (el hombre) por la vía del trascender, esto es, viéndola puesta a otra cosa más alta, saliendo de sí para afirmarse como algo superior a ella misma. No todo hombre puede concebir con claridad y afrontar por sí este problema.

"...El hombre nace cuando surge como sujeto, cuando confiere objetividad al mundo mediante el juicio; al asumir la postura espiritual, consecuencia suprema, como hemos visto, de la actitud objetivante, agrega a los juicios de objetivación y a los de valoración intencional, otros juicios valorantes, en función del espíritu. El occidental se ha decidido por un destino más duro, pero también más digno, grato y satisfactorio que el elegido por los hombres de las grandes culturas del Oriente; ha resuelto no renunciar al juicio. Ha hecho íntimamente suyo el principio que está en la raíz y en la fuente de lo humano, y abrazado a él se proyecta, invicto entre sus innumerables derrotas, hacia las lejanías del porvenir".

LECTURAS: "Historicidad". *Teoría del hombre* (Buenos Aires, 1952), págs. 303-314. "Tendencias contemporáneas en el pensamiento hispanoamericano". *Sobre la filosofía en América* (Buenos Aires, 1952), págs. 11-18.

CRÍTICA: Ferrater Mora, José. *Diccionario de Filosofía,* pág. 818. Hershey, John H. "La promesa y el destino de las Américas", *Atenea* (Concepción, Chile), Junio 1947, págs. 326-339. Lizaso, Félix. "Romero y los estudios filosóficos en la Argentina". *Revista Nacional de Cultura* (Caracas), Julio 1940, págs. 82-93; Agosto 1940, págs. 31-42. Nieto Arteta, Luis E. "La filosofía de Francisco Romero". *Universidad de Antioquia* (Medellín, Colombia), Octubre-Noviembre 1942, págs. 231-241. Rodríguez-Alcalá, Hugo. "Francisco Romero: vida y obra: bibliografía". *Revista Hispánica Moderna* (New York), Enero-Abril 1954, págs. 1-44. Zum Felde, Alberto. *Índice crítico de la literatura hispanoamericana. El ensayo y la crítica,* págs. 441-445.

Continuador del sano radicalismo de su compatriota González Prada es el peruano **JOSÉ CARLOS MARIÁTEGUI (1895-1930)**. Mariátegui estudia con más rigor los mismos problemas que González Prada, propone otros, y todo lo ve a través de una lente socialista, un socialismo *sui generis*. Situado entre dos épocas, la modernista y la posmodernista, Mariátegui enjuicia negativamente el débil y tardío modernismo peruano y el conservadurismo colonialista que dominan en el ambiente intelectual nacional. Y pone fin, con sus dinámicos esfuerzos pro indigenistas y pro nacionalistas, a una etapa de indecisión que ha imperado desde principios de la centuria, cuando González Prada termina la fase activa de su labor renovadora. La gloria principal de Mariátegui es, sin duda, haber sido el primer ensayista del siglo veinte en estudiar al indio andino desde el punto de vista de sus relaciones económicas, sociales, intelectuales y espirituales con los otros elementos étnicos que constituyen naciones tales como el Perú, Ecuador y Bolivia. El es, por sus libros y por su vida, uno de los mayores iniciadores del vasto movimiento reivindicador de los derechos del indio, que sigue su curso en tantos países del continente a despecho de obstáculos y contratiempos de variada índole.

La corta vida de Mariátegui se resume fácilmente: Lima, Europa, Lima. Pobre, tísico, inválido durante sus últimos seis años, perseguido por el gobierno, su clara inteligencia, su candor y su dinamismo se sobreponen a tales estorbos para hacer de él una figura admirable, respetada hasta por sus enemigos. Se inicia muy joven en las letras limeñas, publicando artículos en los periódicos y revistas de aquella capital. Entre 1914 y 1919 participa en la vida bohemia, cultiva la prosa y el verso, se gana la vida como periodista, patrocina la reforma universitaria en el Perú, se orienta hacia el socialismo e interviene en las luchas sociales. En 1919 sale para Europa, becado por el gobierno. Sintetiza Mariátegui lo que su viaje significa para él con las palabras siguientes: "de fines de 1919 a mediados de 1923 viajé por Europa. Residí más de dos años en Italia, donde desposé una mujer y algunas ideas. Anduve por Francia, Alemania, Austria y otros países. Mi mujer y mi hijo me impidieron llegar a Rusia. Desde Europa me concerté con algunos peruanos para la acción socialista. Mis artículos de esa época señalan las estaciones de mi orientación socialista".

De vuelta al Perú dedica los siete años de vida que le quedan a difundir las ideas socialistas y a activar en nuevos cauces la literatura peruana. Se adelanta en ambas tareas mediante discursos, artículos periodísticos, la fundación de su importante revista *Amauta* y el establecimiento de la casa editorial "Minerva". El gobierno le acosa varias veces por subversivo, impide la publicación de sus escritos y clausura los periódicos que trata de publicar. De sus obras completas, en proceso de ser editadas por su hijo Javier, han aparecido *La escena contemporánea* (primera edición, 1925); *Siete ensayos de interpretación de la realidad peruana* (primera edición, 1928); *Defensa del marxismo* (1934); *El alma matinal y otras estaciones del hombre* (1950) y *La novela y la vida* (1955).

De estos libros, el más notable y conocido es *Siete ensayos*, obra anticolonialista, formada por estudios agudos y originales hechos de acuerdo con la dialéctica marxista algo modificada por el propio autor, que versan sobre el problema político, el económico, el religioso, el indígena, el educativo, el del regionalismo y el centralismo, el del proceso literario. De los siete, el ensayo más extenso es el que trata de la literatura peruana. Para Zum Felde este escrito presenta la

singularidad de ser, "dentro de la crítica literaria hispanoamericana, la más brillante interpretación de esa índole y
la aplicación de tal criterio hecha con mayor talento". El
estilo del libro ejemplifica bien a Mariátegui como prosista.
Claro, directo, animado por la honda convicción del autor,
tiene a veces densos trozos que exigen una segunda lectura. Transluce en su prosa el vigor de su dialéctica y la
meditación que dedica a la composición de su lenguaje.
Si no alcanza la cima estética de un Rodó, Mariátegui sí
es muy superior a la gran mayoría de ensayistas y perio-
distas que escriben hoy en América.

LECTURAS: * "La emoción de nuestro tiempo". *Mariátegui*
(México, 1937), págs. 119-133. "Las corrientes de hoy. El indige-
nismos". *Siete ensayos de interpretación de la realidad peruana* (Lima, 1952), págs. 350-370.

CRÍTICA: Frank, Waldo. *América hispana.* Buenos Aires: Edi-
torial Losada, 1950, págs. 161-165 y *passim.* Rouillon, Guillermo.
"Bio-bibliografía de José Carlos Mariátegui". *Boletín Bibliográfico*
(Universidad de San Marcos, Lima), Diciembre 1952, págs. 102-212.
Sánchez, Luis Alberto. *La literatura peruana.* Asunción (Paraguay):
Editorial Guarania, 1951, Vol. VI, págs. 414-415 y *passim.* Solano,
Armando. "El X aniversario de Mariátegui: influencia y actividad
de su doctrina". *Atenea* (Concepción, Chile), Mayo 1940, págs. 176-
184. Vitier, Medardo. *"Ensayos* de José Carlos Mariátegui". *Del
ensayo americano,* págs. 172-192. Wiesse, María. *José Carlos Mariátegui. Etapas de su vida.* Lima: Ediciones Hora del Hombre, 1945.

VIII

EL ENSAYO DE HOY

Hay críticos algo miopes que afirman que la novela decae. La llaman género predilecto del siglo XIX y aseguran que en esa centuria alcanza su apogeo. Esto es inexacto, como lo demuestra el cultivo vigoroso de la novela en el siglo XX. Como toda forma de arte, ella es proteica y mudable, y la novela de hoy no es la de ayer ni será la de mañana. Pero esto no indica que el género está agotado ni mucho menos muerto. El hecho de que el género *novela* no sea susceptible a una definición inalterable es el mejor indicio de su vitalidad y jamás señal de su debilitamiento. La novela ha sido —y sigue siendo— la forma literaria más popular de los tiempos modernos.

Muy distinto es el caso del género *ensayo*. Carece de la popularidad de la novela y es sobre todo una forma minoritaria debido a su naturaleza doble, cuyos elementos (lirismo-didacticismo) no gustan al gran público. Tampoco se presta a una definición satisfactoria, como hemos visto, pues aun si la palabra se considera como un término de clasificación puramente formal es evidente que lo que pasa por "ensayo" hoy, difiere apreciablemente de lo que se llamaba "ensayo" hace 25 ó 30 años; y mucho más todavía de los "tratados" que se escribían en el siglo XIX y antes. Es claro que en Hispanoamérica, hasta hoy, el ensayo no ha gozado de ningún apogeo. Hay, sin embargo, indicios de que el género pueda alcanzar pronto un mayor grado de desarrollo. Porque hoy en los países hispanos del continente se va ensanchando, gracias a los adelantos en la educación superior y a la actividad editorial, esa minoría culta a la cual el ensayo se dirige.

Sea como fuere, la verdad es que actualmente se escribe más que nunca en América y que entre los escritores hay excelentes cultivadores del ensayo. Cabe esperar, y no nos parece una esperanza infundada, que estos ensayistas sepan amalgamar, con maestría cada vez mayor, el lirismo y el didacticismo tan esenciales a la forma que cultivan.

Pero la literatura y los autores contemporáneos siempre son difíciles de aquilatar. Aumentan los nombres, los datos se consiguen laboriosamente, escasean buenas fuentes críticas y parece casi imposible lograr una justa perspectiva. Se corre el riesgo de hacer crónica, no historia. Con todo, es preciso mencionar a los ensayistas cuya obra e influjo parecen asegurarles un lugar importante en las historias literarias del porvenir, aquellos análisis que todavía ignoramos pero que tanto quisiéramos conocer. Escriben estos ensayistas en un período más bien ecléctico, en el que coexisten variadas tendencias y actitudes heredadas del modernismo y posmodernismo, juntas con otras nacidas de los tremendos sucesos de los últimos lustros. Y entre ellos hay algunos que se acercan a lo que podría llamarse la meta ideal del ensayo contemporáneo: 1) convencer sin acudir a dilatadas pruebas eruditas, como sucede en el tratado; 2) exhibir siempre al escritor mismo en su modalidad característica, en un estilo sutil y lírico pero jamás retórico, donde el lenguaje, instrumento preciso del pensamiento, brille con prístina autenticidad. Destacamos sólo unas de las figuras más conocidas, pues lo que queremos dar al lector es una visión de algunas cimas y no toda la cordillera.

Preocupado tan hondamente como Sarmiento por el destino de su patria y de la América está el argentino **EZEQUIEL MARTÍNEZ ESTRADA (n. 1895). Interpreta la realidad de la pampa del siglo xx, como antes lo hiciera su gran antecesor del XIX, pero sin el optimismo de Sarmiento. Su *Radiografía de la pampa* (1933) es el mejor examen del país, completo y pormenorizado, que se ha hecho. Surge de sus meditaciones sobre la crisis moral de 1930 en la Argentina. Cruel en su análisis, desengañado en el corazón, se muestra Martínez Estrada, y en su libro sondea e ilumina oscuras regiones de la subconsciencia argentina. De la obra escribe Anderson Imbert que "es el libro más amargo que se haya escrito en la Argentina". Ensayos ligados por el tema central, la capital, forman *La cabeza de Goliat* (1940), examen casi microscópico, también sombrío, de Buenos Aires. Su último libro de tema argentino, *Muerte y transfiguración de Martín Fierro* (2 vols., 1948) es un vasto estudio de la esencia de la vida criolla y gauchesca y en él postula una afirmación optimista: lo gauchesco es "un modo de ser de la gente; y eso queda firme a través de los cambios políticos, de las técnicas industriales, de la enseñanza y de la obra de gobierno. Es lo que queda cuando todo cambia. Lo gauchesco es tan cierto hoy como hace cien años; pero reviste distintas apariencias; se ha introducido en las figuras y masas permeables de la vida civilizada, de la cultura adquirida, etc.". Observador minucioso e implacable, fino analista de la psicología nacional, Martínez Estrada maneja un estilo de gran riqueza metafórica, notable sutileza lingüística y calidad poética excepcional. No hay que extrañarse, pues, que su influjo sea notable en los jóvenes escritores argentinos y americanos de hoy.

LECTURAS: * "Aislamiento". *Radiografía de la pampa* (Buenos Aires, 1942), I, págs. 71-93. "La cosa importante". *La cabeza de Goliat* (Buenos Aires, 1947), págs. 199-204.

CRÍTICA: Anderson Imbert, Enrique. *Historia de la literatura hispanoamericana*, págs. 311-312. Canal Feijóo, B. "Radiografías fatídicas". *Sur* (Buenos Aires), Octubre 1937, págs. 63-77. Murena, H. A. "La lección a los desposeídos: Martínez Estrada". *El pecado original de América.* Buenos Aires: *Sur*, 1954, págs. 105-130. Schultz de Mantovani, Fryda. "Martínez Estrada en el mundo de Hudson".

Sur (Buenos Aires), Enero-Febrero 1952, págs. 110-114. Tovar, Antonio. "Introspección de la Argentina en el escritor Martínez Estrada". *Revista de Estudios Políticos* (Madrid), 1950, núm. 49, págs. 219-253. Zum Felde, Alberto. *Índice crítico de la literatura hispanoamericana. El ensayo y la crítica*, págs. 472-480.

Analista de la realidad social también es el cubano *JORGE MAÑACH (n. 1898). Conocido desde 1927 por su *Indagación del choteo,* un ensayo crítico en el que analiza las características nacionales sobre bases psicológicas y estéticas, Mañach combina el rigor intelectual universitario (estudió en la Universidad de Harvard) y la gracia espiritual del latino en sus obras. Es sin duda uno de los conocedores más perspicaces de lo hispanoamericano entre los autores de su generación. Más tarde se dedica al estudio de José Martí y en 1933 publica su *Martí, el apóstol* (biografía e interpretación) que goza hoy de merecido renombre por toda la América hispana. Últimamente ha publicado un ensayo corto pero de mucho meollo: *Examen del Quijotismo* (1950). No es una obra de análisis literario, ni historia o biografía, sino más bien una meditación metafísica de la significación del mito que ha nacido de la creación cervantina. Para Alberto Zum Felde, este libro es "una de las más agudas, sino la más, interpretaciones filosóficas del personaje-mito, escritas de este y del otro lado del Océano".

LECTURAS: "Ligereza e independencia". *Indagación del choteo* (La Verónica, Cuba, 1940), págs. 51-59. "El Plan de Fernandina". *Martí, el apóstol* (Buenos Aires, 1942), págs. 238-249.

CRÍTICA: Holmes, Henry A. *Contemporary Spanish Americans.* New York: Crofts, 1942, págs. 172-177. Meléndez, Concha. "Jorge Mañach y la inquietud cubana". *Signos de Iberoamérica.* México: Imprenta Manuel León Sánchez, 1936, págs. 153-167. Santovenia, Emeterio. *La nación y la formación histórica.* La Habana: Academia de la Historia de Cuba, 1943. Contiene un elogio de Jorge Mañach. Zum Felde, Alberto. *Índice crítico de la literatura hispanoamericana. El ensayo y la crítica*, págs. 585-587.

Pocos escritores tan sigulares hay en el mundo hispano como el argentino *JORGE LUIS BORGES (n. 1899), quien con Martínez Estrada domina la ensayística actual de su país. Poeta, crítico y cuentista además de ensayista, su personalidad literaria es compleja, rica, aguda e inquieta. Une su cultura libresca asombrosa a una poderosa inteligencia y posee una habilidad verbal extraordinaria. Escritor para escritores, Borges, como Reyes, ha logrado entrelazar en su estilo dos jerarquías que rara vez se encuentran juntas en un mismo literato: lo intelectual y lo estético. Se notan dos etapas en su obra, que podrían llamarse, aunque sin exactitud completa, la criollista (1920-1930) y la metafísica y erudita (1930-   ). En la primera, después de volver de sus estudios europeos, transplanta y adapta el novedoso ultraísmo del Viejo Mundo a la realidad criolla de Buenos Aires. Se convierte en el jefe del movimiento ultraísta argentino, cuyo vocero es el periódico *Martín Fierro*, y cuyo propósito es interpretar lo criollo sobre las bases antirrománticas, antimodernistas, antirracionalistas y puramente estéticas del nuevo movimiento. De sus ensayos, en este primer período, aparecen tres libros: *Inquisiciones* (1925); *El idioma de los argentinos* (1928) y *Evaristo Carriego* (1930), dedicado al poeta sentimental y realista del suburbio bonaerense. De su segunda etapa, en la cual deja lo criollo para aproximarse a temas más universales y abstractos, son ejemplos *Historia universal de la infamia* (1935), *Nueva refutación del tiempo* (1947) y *Otras inquisiciones* (1952), libros que demuestran su erudición, su libertad de forma, su dominio completo de la metáfora, y el deleite que experimenta al comunicar los aspectos paradójicos y pasmosos de la vida y del pensamiento humanos.

LECTURAS: "Del culto de los libros". *Otras inquisiciones* (Buenos Aires, 1952), págs. 136-141. "La biblioteca de Babel". *Ficciones* (Buenos Aires, 1944), págs. 95-107.

CRÍTICA: Anderson Imbert, Enrique. *Historia de la literatura hispanoamericana*, págs., 322-324. Lida, Raimundo. "Notas a Borges". *Cuadernos Americanos* (México), Marzo-Abril 1951, págs. 286-288. Lida de Malkiel, María Rosa. "Contribución al estudio de las fuentes literarias de Jorge Luis Borges". *Sur* (Buenos Aires), Julio-

Agosto 1952, págs. 50-57. Pezzoni, Enrique. "Aproximación al último libro de Borges". *Sur* (Buenos Aires), Noviembre-Diciembre 1952, págs. 101-123. Prieto, Adolfo. *Borges y la nueva generación.* Buenos Aires: Editorial Letras Universitarias, 1954. Zum Felde, Alberto. *Índice crítico de la literatura hispanoamericana. El ensayo y la crítica,* págs. 573-584.

De carácter muy distinto al de Borges es el peruano *LUIS ALBERTO SÁNCHEZ (n. 1900), prolífico prosista (y polemista) que cultiva la crítica, la historia literaria y el ensayo. Ha sido también rector de la Universidad de San Marcos de Lima, aprista y figura de primera magnitud en la política peruana. Es uno de los exponentes máximos en nuestra América de lo que él mismo llama "socioliteratura" y que define Alberto Zum Filde así: "una constante supeditación de lo sobre-estructural literario a lo sociológico, en relación de un determinismo (o si se prefiere, de un funcionalismo) de tipo fundamentalmente marxista, tal como normativamente se viene manifestando en ese sector de la intelectualidad peruana, desde los *Siete ensayos de interpretación* de Mariátegui". Acéptese o no esta definición, no cabe duda que Sánchez aplica siempre su criterio sociológico-determinista al examinar el fenómeno literario, y sus páginas muchas veces son más una historia política que literaria. Además de sus conocidas historias de la literatura hispanoamericana y peruana pueden mencionarse, como muestras de su ensayo, *América, novela sin novelistas* (1933), *Haya de la Torre o el político* (1934), semblanza del jefe máximo del aprismo, *Vida y pasión de la cultura en América* (1935), *Balance y liquidación del novecientos* (1939). En 1930 escribe *Don Manuel,* biografía novelada de González Prada, de quien ha sido uno de los principales admiradores y comentaristas. No cabe duda que la inclinación de Sánchez es la de unirse a los grandes ensayistas que han meditado sobre América como problema histórico-filosófico, pero le impiden alcanzar tal meta la vehemencia de su predisposición crítica (sociológico-determinista) y los excesos de su estilo, unas veces demasiado periodístico y otras sobradamente polémico.

LECTURAS: "Balance y liquidación". *Balance y liquidación del novecientos* (Santiago de Chile, 1941), págs. 195-210. "Conclusión para empezar de nuevo". *¿Existe América Latina?* (México, 1945), págs. 270-277.

CRÍTICA: Franulic, Lenka. *Cien autores contemporáneos.* Santiago de Chile: Editorial Ercilla, 1951, págs. 813-819. Molina, Enrique. " 'Balance y liquidación del 900' por Luis Alberto Sánchez". *Atenca* (Concepción, Chile), Enero 1941, págs. 20-43. Townsend Ezcurra, A. "Luis Alberto Sánchez, escritor indo-americano". *Claridad* (Buenos Aires), 1936, núm. 304. Zum Felde, Alberto. *Índice crítico de la literatura hispanoamericana. El ensayo y la crítica*, págs. 560-565.

Otro peruano, más político y hombre de acción que escritor, es *VÍCTOR RAÚL HAYA DE LA TORRE (nació en 1895), fundador del APRA. A pesar de no ser primariamente un autor, ha escrito un buen número de libros y artículos que, de acuerdo con una definición muy liberal del ensayo, pueden considerarse, en parte a lo menos, como pertenecientes al género. Pecan del mismo modo que los escritos de Luis Alberto Sánchez, empero resumen la ideología aprista, han tenido gran difusión en la región andina y otros países del continente, y su influencia dista mucho de desaparecer hoy. El aprismo, tal como se desprende de los libros de Haya, significa mucho más que una teoría social o movimiento político e implica una revisión y una interpretación total de la vida indoamericana. Pugna por una separación radical entre la cultura europea (y la tradición colonial) y el actual modo de ser hispanoamericano. Arrostra los problemas del continente desde el punto de vista de un materialismo histórico más bien marxista, pero modificado de acuerdo con las realidades americanas. Estos son los principios que se infieren de libros tales como *Por la emancipación de la América Latina* (1927), *¿A dónde va Indoamérica?* (1935) y *El antiimperialismo y el Apra* (1936). En *La defensa continental* (1942), Haya habla sobre los problemas suscitados en América por la segunda guerra mundial, el panamericanismo y otros tópicos interamericanos. Su *Espacio-tiempo histórico* (1948) se compone de cinco ensayos y tres diálogos que presentan la teoría de la historia que plantea Haya.

LECTURAS: "La cuestión del nombre". *¿A dónde va Latinoamérica?* (Santiago de Chile, 1936), págs. 21-31. "El 'Buen Vecino': ¿Garantía definitiva?" *La defensa continental* (Buenos Aires, 1942), págs. 45-58.

CRÍTICA: Beals, Carleton. "Aprismo; the rise of Haya de la Torre". *Foreign Affairs* (New York), Enero 1935, págs. 236-246. Bernstein, Harry. "APRA". *Modern and Contemporary Latin America.* New York: Lippincott, 1952, págs. 675-685. Kantor, Harry. *Ideología y programa del movimiento aprista.* México: Ediciones Humanismo, 1955, págs. 18-48 y *passim.* Sánchez, Luis Alberto. *Haya de la Torre y el APRA: Crónica de un hombre y un partido.* Santiago de Chile: Editorial del Pacífico, 1955. Sánchez, Luis Alberto. *Raúl Haya de la Torre o el político.* Santiago de Chile: Biblioteca América, 1934. Zum Felde, Alberto. *Indice crítico de la literatura hispanoamericana. El ensayo y la crítica,* págs. 489-494.

Otro tipo de ensayista es el colombiano **GERMÁN ARCINIEGAS** (n. 1900), que escribe sobre temas históricos y sociológicos sin los prejuicios ni la rigidez dialéctica de un Luis Alberto Sánchez o un Haya de la Torre. Diplomático, político, catedrático y novelista, Arciniegas es un prosista ágil y brillante cuyas páginas exhiben actitudes y puntos de vista originales e imprevistos. Después de Sanín Cano es el más notable escritor actual de su país, conocido en todo el continente. En la actualidad es profesor de la Universidad de Columbia, de Nueva York. En los libros que ha publicado, el énfasis mayor cae sobre la interpretación del proceso formativo de la vida hispanoamericana y de sus elementos étnicos, sociopolíticos y morales. Es un estudioso que sabe combinar en su obra los factores indispensables de la documentación y del pensamiento sistematizado, con el don de la expresión lúcida, amena y apasionada. Sus libros, densos pero no extensos, han merecido el calificativo de "epopeya histórico-filosófica" de la América. Su primer libro es *El estudiante de la mesa redonda* (1932), ingenioso compendio de la evolución cultural occidental e hispanoamericana durante los últimos cinco siglos; y su libro más reciente, *Entre la libertad y el miedo* (1952), examen sincero y profundo de la tremenda crisis democrática que impera en la mayor parte de los estados americanos sometidos a regímenes dictatoriales. Otros títulos suyos justamente estimados son *América, tierra firme* (1937), *El caballero de El Dorado* (1942), *Este pueblo de América* (1945), *El pensamiento vivo de Andrés Bello* (1946), *Biografía del Caribe* (1946) y *Amérigo y el Nuevo Mundo* (1955).

LECTURAS: * "Los mareantes". *El estudiante de la mesa redonda* (Buenos Aires, 1952), págs. 29-44. "Preludio del siglo **xx**". *Este pueblo de América* (México, 1945), págs. 165-181.

CRÍTICA: Córdova, Federico. *Vida y obras de Germán Arciniegas.* La Habana: Ministerio de Educación, 1950. Maurín, Joaquín. "Arciniegas o la conciencia de América". *Cuadernos* (París), Julio-Agosto 1953, págs. 101-104. Vitier, Medardo. "En torno a Germán Arciniegas". *Del ensayo americano,* págs. 251-268. Zum Felde, Alberto. *Índice crítico de la literatura hispanoamericana. El ensayo y la crítica,* págs. 527-533.

De la misma estirpe de Arciniegas y de casi la misma edad es el venezolano *MARIANO PICÓN SALAS (n. 1901), quien ha meditado larga y hondamente los problemas de la cultura hispanoamericana tanto en el plano sociológico como en el espiritual. Repitiendo en cierto modo la trayectoria de su coterráneo más eminente, Andrés Bello, Picón Salas ha pasado largos años en Chile, donde se doctora en Filosofía y en donde ha sido catedrático. Publica allí también una gran parte de su obra, que además del ensayo incluye novelas y cuentos. En su propio país ha desempeñado importantes trabajos en el Archivo Nacional y en el Ministerio de Educación. El estilo de Picón Salas demuestra la sólida configuración filosófica y el extenso contenido humanístico de su ingenio, y su prosa es a la vez concisa, elegante y persuasiva, elaborada siempre con arte. Su primer libro, *Buscando el camino,* data de 1920, y posteriormente ha publicado *Interpretación de Andrés Bello* (1929), reivindicación del ilustre polígrafo, *Hispanoamé-*

rica, posición crítica, Odisea de Tierra Firme (ambos de 1931), *Preguntas a Europa* (1935), cavilaciones de viaje, *Intuición de Chile* (1935), *De la conquista a la independencia* (1944) y *Europa-América* (1947). Es autor, además, de la mejor historia de las letras patrias, *Formación y proceso de la literatura venezolana* (1940).

LECTURAS: "El sueño de la libertad política. El alba de la revolución que viene". *De la conquista a la independencia.* (México, 1950), págs. 186-192. "Tierra y cielo de Mérida". *Viaje al amanecer* (México, 1943), págs. 21-30.

CRÍTICA: González, Manuel Pedro. "Mariano Picón Salas". *Estudios sobre literatura hispanoamericana.* México: Cuadernos Americanos, 1951, págs. 305-309. Portuondo, José Antonio. "Dos libros recientes de Mariano Picón Salas". *Revista Hispánica Moderna* (New York), Julio-Octubre 1955, págs. 329-332. Sambrano Urdaneta, Óscar. Sobre: Mariano Picón Salas, *Obras selectas. Revista Nacional de Cultura* (Caracas) Mayo-Junio 1954, págs. 176-177. Sánchez Carrillo, Antonio. "El mensaje de Mariano Picón Salas". *Cuadernos Americanos* (México), Julio-Agosto 1955, págs. 143-148. Zambrano, María. "La obra de Mariano Picón Salas". *Cuadernos* (París), Noviembre-Diciembre 1954, págs. 98-99. Zum Felde, Alberto. *Índice crítico de la literatura hispanoamericana. El ensayo y la crítica*, págs. 589-590.

Quedan forzosamente muchos ensayistas sin mencionar. Pero no queremos dejar por terminadas estas breves páginas sin citar cuando menos los nombres de algunos de los prosistas que han dado ya señales de sus méritos ensayísticos. Entre el grupo estarían Juan Natalicio González, intérprete del Paraguay, el ecuatoriano Benjamín Carrión, el peruano Jorge Basadre, el boliviano Fernando Díez de Medina, los argentinos José Luis Romero, Enrique Anderson Imbert y Dardo Cúneo, el cubano José Antonio Portuondo, los mexicanos Fernando Benítez y Leopoldo Zea, para señalar unos cuantos. Leopoldo Zea, especialmente, ha escrito algunas de las obras de más significación en el nuevo análisis de lo hispanoamericano.

Excluímos de esta enumeración a los escritores contemporáneos que se destacan principalmente en la crítica: Félix

Lizaso, Victoria Ocampo, Arturo Marasso, José María Mon-
ner Sans, Roberto Giusti, Raimundo Lida, Ricardo Latcham,
Hernán Díaz Arrieta, Manuel Pedro González, Arturo Torres-
Ríoseco, Alberto Zum Felde, Julio Jiménez Rueda, Francisco
Monterde, Carlos González Peña (m. 1955), José Luis Martínez, José María Chacón y Calvo, Concha Meléndez y otros
más.

* * *

La esencia, el espíritu, del ensayo —como se ha recalcado en estas páginas— es comunicar los conceptos o la
meditación del autor líricamente, y en Hispanoamérica esto
ha sido sobre todo, hasta nuestra época, una tarea de reflexión y participación americanistas. La obra de los mejores ensayistas iberoamericanos es una prueba elocuente de
que comparten el noble sueño de Pedro Henríquez Ureña
y Alfonso Reyes de colaborar en hacer de América el "teatro de mejores experiencias humanas". Dudamos de que ni
los estorbos y enojos políticos y sociales presentes, ni las
corrientes antiintelectualistas de hoy, logren impedir de un
modo permanente la contribución de los ensayistas actuales y futuros, maduros y jóvenes, a la realización de tan generoso sueño. Al contrario, nos parece que los tiempos de
crisis que prevalecen en tantos de nuestros países han crea-
do un ambiente singularmente fértil para el desenvolvimiento
de estos críticos y comentaristas de la cultura en sus trans-
formaciones. Conviene tener siempre presentes, sin embargo, las palabras del conocido crítico español Guillermo de
Torre (residente desde hace años en la capital argentina)
que llama al ensayo "género público", y apunta que "requiere la existencia de una atmósfera social sin trabas y no
puede ser reemplazado con lucubraciones confidenciales de
ninguna clase".

BIBLIOGRAFÍA GENERAL *

Alba, Pedro de: *Del nuevo humanismo y otros ensayos.* México: Ediciones de la Universidad Nacional, 1937. (Contiene varios estudios sobre problemas intelectuales y sociales de Hispanoamérica.)

Alberini, Coriolano: *Die Deutsche Philoshophie in Argentinien.* Berlín: Hendriock Verlag, 1930.

Amarilla, Lidia N. G. de: *El ensayo literario contemporáneo.* La Plata, Argentina: Instituto de Investigaciones Literarias, 1951. (Aunque la autora no estudia directamente el ensayo hispanoamericano, muchos de sus conceptos tienen aplicación a varios de los actuales ensayistas de la América hispana.)

Anderson Imbert, Enrique: "Defensa del ensayo". *Ensayos.* Tucumán, Argentina: Con el autor, 1946, págs. 119-124.

Anderson Imbert, Enrique: *Historia de la literatura hispanoamericana.* México: Fondo de Cultura Económica, 1954. (Una de las mejores historias de las letras hispanoamericanas. Cada capítulo, a partir del VII, proporciona excelentes juicios sobre los ensayistas.)

Antología de ensayos. México: Editorial Orión, 1953. (Tiene un prólogo de Florentino N. Torner.)

---

* El ensayo en Hispanoamérica está vinculado de una manera especial con el desarrollo de las ideas filosóficas, políticas y sociales. De acuerdo con un criterio muy amplio, por lo tanto, hemos creído necesario incluir en esta *Bibliografía General* obras de esta índole, ademsá de las que tratan particularmente de los aspectos literarios y estéticos del género. Las monografías sobre los ensayistas estudiados en el texto, aparecen en su lugar apropiado y no hemos juzgado oportuno repetirlas aquí.

Antología del pensamiento de lengua española. México: Editorial Séneca, 1945. (Selección y prólogo de José Gaos.)

Arciniegas, Germán. *El estudiante de la mesa redonda*. Santiago de
Chile: Ediciones Ercilla, 1936.

Ardao, Arturo: *Espiritualismo y positivismo en el Uruguay*. México:
Fondo de Cultura Económica, 1950.

Arías, Augusto: *Panorama de la literatura ecuatoriana*. Quito: "El
Comercio", 1946. (Véase la sección sobre el ensayo, págs. 304-
313.)

Balaguer, Joaquín: *Literatura dominicana*. Buenos Aires: Editorial
Americalee, 1950.

Barboza, Enrique: "La cultura alemana en Hispanoamérica". *Metáfora* (México), marzo-abril 1956, págs. 3-8.

Barrera, Isaac J.: *Historia de la literatura ecuatoriana* (4 tomos).
Quito: Casa de la Cultura Ecuatoriana, 1953-1955.

Beltrán, Oscar R.: *Historia de la literatura hispanoamericana*. Buenos Aires: Tato, 1938.

Berenguer Carisomo, Arturo y Bogliano, Jorge: *Medio siglo de literatura americana*. Madrid: Instituto de Cultura Hispánica, 1952.
(Véase el capítulo "El ensayo", págs. 263-272.)

Biblioteca del pensamiento vivo. Buenos Aires: Editorial Losada,
193.. (Excelente colección de antologías de los grandes pensadores mundiales. Incluye asimismo varios de los más destacados
ensayistas hispanoamericanos. Cada volumen lleva un prólogo
sustancioso, redactado por un crítico conocido.)

Blanco Fombona, Rufino: *Letras y letrados de Hispano-América*.
París: Ollendorff, 1908.

Bustamante y Montoro, Antonio: *Ironía y generación*. La Habana:
Úcar, García y Cía., 1937. (Contiene estudios sobre Varona,
Mañach y otros ensayistas cubanos.)

Canal Feijóo, Bernardo: *El reverso humorístico de la tristeza criolla*.
Santa Fe (Argentina): Universidad Nacional del Litoral, 1940.

Cansinos-Assens, Rafael: *Poetas y prosistas del novecientos* (España
y América). Madrid: Editorial América, 1919. (Contiene estudios sobre varios ensayistas hispanoamericanos.)

Carrión, Benjamín: *Los creadores de la nueva América.* Madrid: Sociedad General Española de Librería, 1928. (Contiene estudios sobre Vasconcelos, Ugarte, Francisco García Calderón y Arguedas.)

Colección *"Pensamiento de América".* México: Ediciones de la Secretaría de Educación Pública, 1942-1944. (Colección de 14 vols., antologías de los más destacados pensadores hispanoamericanos, con sustanciosos y bien documentados estudios preliminares por autoridades notables.)

Crawford, William Rex: *A Century of Latin American Thought.* Cambridge: Harvard University Press, 1944. (Esta es la única obra sobre el pensamiento latinoamericano, escrita por un norteamericano. Un tanto superficial y demasiado esquemática.)

Daireaux, Max: *Littérature hispano-américaine.* París: Editions Kra, 1930.

Deleito y Piñuela, J.: *Lecturas americanas.* Madrid: Editorial América, 1920.

Díaz-Plaja, Guillermo y Monterde, Francisco: *Historia de la literatura española e Historia de la literatura mexicana.* México: Editorial Porrúa, 1955. (Véase la sección de Monterde sobre el ensayo mexicano, págs. 613-618.)

Díez-Canedo, Enrique: *Letras de América.* México: El Colegio de México, 1944.

Díez de Medina, Fernando: *Literatura boliviana.* Madrid: Editorial Aguilar, 1954. (Véanse las páginas sobre el ensayo, 377-379.)

Donoso, Ricardo: *Las ideas políticas en Chile.* México: Fondo de Cultura Económica, 1946.

Durand, Luis: *Alma y cuerpo de Chile.* Santiago de Chile: Editorial Nascimiento, 1947.

Edwards Bello, Joaquín. *Nacionalismo continental.* Santiago de Chile: Ediciones Ercilla, 1935.

"El ensayo histórico". *Atenea* (Chile), septiembre-octubre 1949. (Número dedicado a las ideas y a la literatura histórica en Chile. Contiene doce estudios por sendas autoridades chilenas.)

El pensamiento argentino. Santiago de Chile: Ediciones Ercilla, 1937. (Prólogo y selección de Alberto Ghiraldo.)

Elías de Tejeda, F.: "Trayectoria del pensamiento político colombiano". *Revista de la Universidad de Cauca*, núm. 13 (1950), págs. 39-65.

Entralgo, Elías: "El fenómeno social latino-americano", *Cuadernos de la Universidad del Aire* (La Habana), 23 de septiembre 1933, págs. 389-396.

Entralgo, Elías: "El pensamiento político-social en la América Latina". *Caudernos de la Universidad del Aire* (La Habana), 4 de noviembre 1933, págs. 581-588.

Erro, Carlos Alberto: *Tiempo lacerado*. Buenos Aires: Ediciones Sur, 1936. (Véase la tercera parte, "El sentido del momento actual en la Argentina".)

Ferrater Mora, José: *Diccionario de filosofía*. Buenos Aires: Editorial Sudamericana, 1951.

Finlayson, C.: "El ensayo en Hispanoamérica". *Repertorio Americano* (Costa Rica), 10 de marzo 1945.

Francovich, Guillermo: *La filosofía en Bolivia*. Buenos Aires; Editorial Losada, 1945.

Frankl, Víctor: *Espíritu y camino de Hispanoamérica. La cultura hispanoamericana y la filosofía europea*. Bogotá: Ministerio de Educación Nacional, 1953.

Frankl, Víctor: "Hispanoamérica y el pensamiento filosófico europeo". *Revista de las Indias* (Bogotá), octubre-diciembre 1949, páginas 327-352.

Frondizi, Risieri: "¿Hay una filosofía iberoamericana?" *Realidad* (Buenos Aires), marzo-abril 1948, págs. 158-170.

Frondizi, Risieri: "Panorama de la filosofía latinoamericana contemporánea". *Minerva* (Buenos Aires), julio-agosto 1944, págs. 95-122.

Gallegos Rocafull, José M.: *El pensamiento mexicano de los siglos XVI y XVII*. México: Imprenta Universitaria, 1951.

Gaos, José: *Antología del pensamiento de lengua española de la edad contemporánea (1744-1944).* México: Editorial Séneca, 1945. (La mejor obra de esta índole publicada hasta ahora. Las caracterizaciones de los pensadores hipanoamericanos son excelentes.)

Gaos, José: "Aportaciones a la historia del pensamiento iberoamericano". *Cuadernos Americanos* (México), noviembre-diciembre 1947, págs. 142-153.

Gaos, José: *El pensamiento hispanoamericano.* México: El Colegio de México, 1944.

Gaos, José: *Pensamiento de lengua española.* México: Editorial Stylo, 1945.

Gaos, José: "Significación filosófica del pensamiento hispanoamericano". *Cuadernos Americanos* (México), marzo-abril 1943, páginas 63-86.

García Calderón, Francisco: *Les démocraties latines de l'Amérique.* París: Flammarion, 1912. (Véase el libro V sobre la evolución intelectual, págs. 212-258.

García Calderón, Ventura: *Del romanticismo al modernismo.* París: Soc. de Edic. Literarias y Artísticas, 1910.

García Terres, Jaime: *Panorama de la crítica literaria en México.* México, 1941.

Gil Fortoul, José: *El hombre y la historia. (Ensayo de sociología venezolana).* Madrid: Editorial América, s.f.

Gómez Restrepo, Antonio: *Historia de la literatura colombiana* (3 tomos). Bogotá, 1943-1946.

Gómez Robledo, Antonio: "El pensamiento filosófico mexicano". *Ábside* (México), abril-junio 1947, págs. 205-229.

González Peña, Carlos: *Historia de la literatura mexicana.* México: Editorial Porrúa, 1945.

González y Contreras, Gilberto: "Ensayo y crítica" en *México en el mundo de hoy* (México: Editorial Guaranía, 1952), págs. 521-541. (Uno de los pocos estudios sobre este tema, publicados hasta ahora.)

Henríquez Ureña, Max: *Breve historia del modernismo.* México: Fondo de Cultura Económica, 1954. (Aunque trata principalmente de la poesía, también se ocupa de los ensayistas del modernismo.)

Henríquez Ureña, Max: *Panorama histórico de la literatura dominicana*. Río de Janeiro, 1945. (Véase el capítulo sobre el ensayo, págs. 309-318.

Henríquez Ureña, Pedro: *Horas de estudio*. París: Ollendorf, 1910.

Henríquez Ureña, Pedro: *Literary Currents in Hispanic America*. Cambridge: Harvard University Press, 1945.

Henríquez Ureña, Pedro: *Plenitud de América*. Buenos Aires: Peña, Del Giudice, 1952.

Hernández Luna, Juan: "El pensamiento racionalista francés en el siglo XVIII mexicano". *Filosofía y letras* (México), octubre-diciembre 1946, págs. 233-250.

Hespelt, E. Herman: *An Outline History of Spanish American Literature*. New York: Crofts, 1942.

Ingenieros, José: *La evolución de las ideas argentinas*. Buenos Aires: Rosso, 1937.

Insúa Rodríguez, Ramón: *Historia de la filosofía en Hispanoamérica*. Guayaquil: Universidad de Guayaquil, 1945.

Jane, Cecil: *Libertad y despotismo en América*. Buenos Aires: Ediciones Imán, 1942.

Jiménez Rueda, Julio: *El Humanismo, el Barroco y la Contrarreforma en México Virreinal*. México: Editorial Cultura, 1951.

Jiménez Rueda, Julio: *Historia de la literatura mexicana*. México: Ediciones Botas, 1946.

Kantor, Harry: *Ideología y programa del movimiento aprista*. México: Ediciones Humanismo, 1955. (Véanse las páginas sobre González Prada, Mariátegui y Haya de la Torre.)

Korn, Alejandro: *Influencias filosóficas en la evolución nacional argentina*. Buenos Aires: Editorial Claridad, 1936.

La filosofía latinoamericana contemporánea. Washington: Unión Panamericana, 1949. (Selección y prólogo de Aníbal Sánchez Reulet.)

Latorre, Mariano: *La literatura de Chile*. Buenos Aires, 1941.

Leguizamón, Julio A.: *Historia de la literatura hispanoamericana* 2 vols.). Buenos Aires: Editoriales Reunidas, 1945.

Lizaso, Félix: "Actitudes filosóficas en España y en Hispanoamérica", *Cuadernos de la Universidad del Aire* (La Habana), 28 de octubre 1933, págs. 565-572.

Lizaso, Féilx. *Ensayistas contemporáneos*. La Habana: Trópico, 1938. (Estudios críticos sobre veinticinco ensayistas cubanos.)

Machado Ribas, Lincoln: *Movimientos revolucionarios en las colonas españolas de América*. Buenos Aires: Editorial Claridad, 1940.

Mallea, Eduardo: *Conocimiento y expresión de la Argentina*. Buenos Aires: Ediciones Sur, 1935.

Mañach, Jorge: "Evolución de la cultura en Cuba". *Cuadernos de la Universidad del Aire* (La Habana), 3 de junio 1933, páginas 653-661.

Mañach, Jorge: *Historia y estilo*. La Habana: Editorial Minerva, 1944. (Excelentes estudios sobre la historia de las ideas en Cuba y su expresión estilística.)

Martínez, José Luis: *La expresión nacional*. México: Imprenta Universitaria, 1955. (Contiene estudios sobre varios ensayistas mexicanos e interesantes datos sobre las corrientes de las ideas en México.)

Massuh, Víctor: *América como inteligencia y pasión*. México: Fondo de Cultura Económica, 1955.

Mejía de Fernández, Abigaíl: *Historia de la literatura castellana*. Barcelona: Araluce, 1933. (Véase el capítulo 35 sobre los grandes críticos y ensayistas hispanoamericanos.)

Mead, Robert G., Jr.: "Montalvo, Hostos y el ensayo hispanoamericano". *Hispania*, March 1956, págs. 56-62.

O'Gorman, Edmundo: *Fundamentos de la historia de América*. México: Imprenta Universitaria, 1942.

Picón-Salas, Mariano: *De la conquista a la independencia: Tres siglos de historia cultural hispanoamericana*. México: Fondo de Cultura Económica, 1950. (Uno de los mejores trabajos sobre la cultura colonial, publicados hasta la fecha.)

Picón-Salas, Mariano: "En torno al ensayo". *Cuadernos* (París), septiembre-octubre 1954, págs. 31-33.

Portuondo, José Antonio: *El contenido social de la literatura cubana.* México: El Colegio de México, 1944.

Ramos, Samuel: *Historia de la filosofía en México.* México, 1943.

Remos, Juan J.: *Micrófono.* La Habana: Molina y Cía., 1937. (Véanse "La crítica y el ensayo", págs. 90-100 y la sección "Siluetas".)

Remos y Rubio, Juan: *Resumen de historia de la literatura cubana.* La Habana: Molina y Cía., 1930.

Reyes, Alfonso: *Última Tule.* México: Imprenta Universitaria, 1942.

Reyes Nevares, Salvador: *Ensayistas mexicanos contemporáneos.* México, en manuscrito. (Prólogo y antología.)

Rodó, José Enrique: *Hombres de América.* Barcelona: Editorial Cervantes, 1931. ((Contiene estudios sobre Montalvo, Bolívar y Darío.)

Romero, Francisco: *Sobre la filosofía en América.* Buenos Aires: Editorial Raigal, 1952.

Robles de Cardona, Mariana y Arce de Vázquez, Margot: "Veinticinco años de ensayo puertorriqueño". *Asomante* (Puerto Rico), enero-marzo 1955, págs. 7-19.

Rojas Garcidueñas, José: "El ensayo y la novela", en *México, realización y esperanza* (México: Editorial Superación, 1952), páginas 135-142.

Romero, José Luis: *Las ideas políticas en Argentina.* México: Fondo de Cultura Económica, 1946.

Romero James, Concha: "Spanish American Literature and Art", en *Concerning Latin American Culture.* New York: Columbia University Press, 1940, págs. 197-216.

Sánchez, Luis Alberto: *La literatura peruana* (6 tomos). Asunción: Editorial Guaranía, 1950-1951.

Sánchez, Luis Alberto: *Nueva historia de la literatura hispanoamericana.* Buenos Aires: Americalee, 1944.

Sánchez Reulet, Aníbal: "Panorama de las ideas filosóficas en Hispanoamérica". *Tierra Firme* (Madrid), II, núm. 2, 1936, páginas 181-211.

Sanjuan, Pilar A.: *El ensayo hispánico. Estudio y antología.* Madrid: Editorial Gredos, 1954. (Obra que no sobresale por su profundidad crítica en el estudio de los ensayistas hispanoamericanos.)

Santovenia, Emeterio S.: "Civilismo y militarismo en la América Latina", *Cuadernos de la Universidad del Aire* (La Habana), 23 de septiembre 1933, págs. 397-403.

Torres-Ríoseco, Arturo: *Breve historia de la literatura chilena.* México: Editorial Studium, 1956. (En los capítulos II y III trata de los ensayistas chilenos de los siglos XIX y XX.)

Torres, Carlos Arturo: *Idola Fori.* Madrid-Valencia: Sempere y Cía., s.f.

Ugarte, Manuel: *El destino de un continente.* Madrid: Editorial Mundo Latino, 1923.

Ugarte, Manuel: *El porvenir de la América española.* Valencia: Editorial "Prometeo", s.f.

Uslar-Pietri, Arturo: *Letras y hombres de Venezuela.* México: Fondo de Cultura Económica, 1948.

Vasconcelos, José: *Bolivarismo y monroísmo. Temas iberoamericanos.* Santiago de Chile: Ediciones Ercilla, 1937.

Vásquez, Ramón F.: *Alma de América.* Buenos Aires: Editorial Losada, 1941. (Un estudio del proceso histórico-sociológico de los pueblos hispanoamericanos.)

Velarde, César Augusto: *Patología indolatina. (Sociología latinoamericana).* Madrid: Góngora, 1933.

Vilela, Arturo: *Interpretación de la historia sudamericana. El fenómeno político-cultural.* La Paz: Biblioteca Paceña, 1953. (Contiene una nutrida bibliografía en las págs. 209-220.)

Vitier, Medardo: "Cómo debe escribirse la literatura de nuestros países". *Memoria del primer congreso internacional de catedráticos de literatura iberoamericana.* México: Imprenta Universitaria, 1939, págs. 129-134.

Vitier, Medardo: *Del ensayo americano.* México: Fondo de Cultura

Económica, 1945. (Obra que abarca menos de lo que implica su título.)

Vitier, Medardo: *La filosofía en Cuba.* México: Fondo de Cultura Económica, 1947.

Yáñez, Agustín: *El contenido social de la literatura iberoamericano.* México: El Colegio de México, 1944.

Zavala, Silvio: "La utopía de América en el siglo XVI". *Asomante* (Puerto Rico), enero-marzo 1946, págs. 35-43.

Zea, Leopoldo: *América en la conciencia de Europa.* México: Los Presentes, 1955.

Zea, Leopoldo: *Dos etapas del pensamiento en Hispanoamérica. Del romanticismo al positivismo.* México: El Colegio de México, 1949. (El mejor libro publicado hasta ahora sobre las corrientes ideológicas del siglo XIX. Obra indispensable para el estudio serio del ensayo hispanoamericano.)

Zea, Leopoldo: *El positivismo en México.* México: Editorial Studium, 1953.

Zea, Leopoldo: *En torno a una filosofía americana.* México: El Colegio de México, 1945.

Zea, Leopoldo: *La filosofía en México* (2 tomos). México: Libro-Mex, 1955. Contiene excelentes estudios sobre las corrientes filosóficas de la colonia, del siglo XIX y los filósofos modernos: Caso, Ramos, Vasconcelos, Reyes, García Maynez.)

Zum Felde, Alberto: *Evolución histórica del Uruguay.* Montevideo: García, 1945.

Zum Felde, Alberto: *El problema de la cultura americana.* Buenos Aires: Editorial Losada, 1943.

Zum Felde, Alberto: *Índice crítico de la literatura hispanoamericana. El ensayo y la crítica.* México: Editorial Guaranía, 1954. (El mejor —y casi el único— trabajo que se ha publicado sobre la crítica y el ensayo en Hispanoamérica. Obra amplia y seria, indispensable para el investigador erudito, pero por su misma índole no se presta fácilmente para uso escolar como libro de texto.)

ÍNDICE DE AUTORES HISPANOAMERICANOS

ÍNDICE DE MATERIAS